D0718676

# DU PAIN SUR LA TABLE

DU PAIN SUR LA TABLE

Commentaires des Évangiles des dimanches de l'année C

Livre 1 — Temps de l'Avent et de Noël

Livre 2 — Temps ordinaire, du 2ᵉ au 9ᵉ dimanche

Livre 3 — Temps du Carême

Livre 4 — Temps de Pâques

À paraître : Temps ordinaire, du 10ᵉ au 34ᵉ dimanche


AUTRES OUVRAGES DE L'AUTEUR

*Le mystère Jésus, vingt siècles après*,
    Montréal, Bellarmin, 1994.

*L'identité chrétienne en question* (collectif),
    Montréal, Fides, 1994.

*Prières d'adieu à nos défunts*, Paris/Montréal,
    Médiaspaul 1995.

*Prière quotidienne en Église*, Paris/Montréal,
    Médiaspaul 1995.

*Iéschoua, dit Jésus*, Montréal, Médiaspaul 2001.

*Parcours d'Évangile*, Montréal, Médiaspaul, 2001.

*Le repas aujourd'hui... en mémoire de Lui* (collectif)
    Montréal, Fides-Médiaspaul, 2003

*Georges Convert*

# DU PAIN SUR LA TABLE

*Commentaires des dimanches
de l'année C*

*LIVRE 4
Temps de Pâques*

Fides • Médiaspaul / formation chrétienne

En général, la traduction des textes évangéliques dimanches est de l'auteur. Les citations bibliques, à l'intérieur des commentaires, proviennent de diverses éditions de la Bible.

La photo de la couverture a été réalisée par Sébastien Dennetière avec le concours de Laurent Hardy.

*Catalogage avant publication de la Bibliothèque nationale du Canada*
Convert, Georges, 1936-
Du pain sur la table : commentaires des dimanches de l'année C
Comprend un index.
Sommaire : livre 1. Temps de l'Avent et de Noël - livre 2. Temps ordinaire, du 2ᵉ au 9ᵉ dimanche - livre 3. Temps du carême - livre 4. Temps de Pâques.

ISBN 2-89499-052-9 (v. 1)
ISBN 2-89499-054-5 (v.2)
ISBN 2-89499-055-3 (v. 3)
ISBN 2-89499-057-X (v. 4)

1. Bible. N.T. Luc — Critique, interprétation, etc.
2. Bible. N.T. Apocalypse — Critique, interprétation, etc.
3. Année liturgique - Méditations.
4. Espérance — Aspect religieux — Christianisme. I. Titre

BS2589.C66 2003      226.4'06      C2003-941784-0

Dépôt légal : 1ᵉʳ trimestre 2004
Bibliothèque nationale du Québec
© Fides • Médiaspaul — Formation chrétienne
(Éditions d'enseignement religieux FPR), 2004

La maison d'édition remercie de leur soutien financier le ministère du Patrimoine canadien, le Conseil des Arts du Canada et la Société de développement des entreprises culturelles du Québec (SODEC).

La maison d'édition bénéficie du Programme de crédit d'impôt pour l'édition de livre du Gouvernement du Québec, géré par la SODEC.

IMPRIMÉ AU CANADA EN FÉVRIER 2004

Ce livre est le fruit d'un travail d'équipe :
   Mario Bard et G. Convert, pour les prières
   et les questionnaires ;
André Choquette et G. Convert,
   pour les commentaires ;
Xavier Gravend-Tirole pour la relecture ;
les membres du Relais Mont-Royal
   et de Copam,
   avec qui ces textes ont été partagés ;
les abonnés au feuillet et les auditeurs
   de Radio Ville-Marie
   pour qui ces commentaires ont été faits
   et qui nous ont apporté leurs réflexions.
À toutes et à tous, ma reconnaissante
   gratitude.

Georges CONVERT

La liturgie dominicale de l'Église catholique romaine propose de lire les trois récits synoptiques sur un rythme triennal : année A, Matthieu ; année B, Marc ; année C, Luc. Le récit de Jean est utilisé lors des trois années, plus spécialement lors de l'année B.

| année A Matthieu | année B Marc | année C Luc |
|---|---|---|
|  |  | 2003-2004 |
| 2004-2005 | 2005-2006 | 2006-2007 |
| 2007-2008 | 2008-2009 | 2009-2010 |
| 2010-2011 | 2011-2012 | 2012-2013 |

L'année liturgique commence le premier dimanche de l'Avent (4 semaines avant Noël) pour se terminer à la fête du christ-Roi.

*Abréviation des principaux livres bibliques*

## TESTAMENT DE MOÏSE

| | |
|---|---|
| Am | Amos |
| Ct | Cantique des Cantiques |
| Dn | Daniel |
| Dt | Deutéronome |
| Es | Esaïe (même que Isaïe) |
| Ex | Exode |
| Ez | Ézéchiel |
| Gn | Genèse |
| Is | Isaïe (même que Esaïe) |
| Jdt | Judith |
| Jb | Job |
| Jl | Joël |
| Jon | Jonas |
| Jos | Josué |
| Jr | Jérémie |
| Jg | Juges |
| Lm | Lamentations |
| Lv | Lévitique |
| 1 M | 1$^{er}$ livre des Maccabées |
| Ma | Malachie |
| Mi | Michée |
| Nb | Nombres |
| Ne | Néhémie |
| Os | Osée |
| Pr | Proverbes |

| | |
|---|---|
| Ps | Psaumes |
| Qo | Qohélet ou Ecclésiaste |
| 1R | Rois (1$^{er}$ livre) |
| 2R | Rois (2$^{e}$ livre) |
| 1S | Samuel (1$^{er}$ livre) |
| 2S | Samuel (2$^{e}$ livre) |
| Sg | Sagesse |
| Si | Siracide ou Ecclésiastique |
| So | Sophonie |
| Za | Zacharie |

## TESTAMENT DE MOÏSE

| | |
|---|---|
| Ac | Actes des Apôtres |
| Ap | Apocalypse de Jean |
| 1Co | 1$^{re}$ épître aux Corinthie |
| 2Co | 2$^{e}$ épître aux Corinthiens |
| Col | épître aux Colossiens |
| Ep | épître aux Éphésiens |
| Ga | épître aux Galates |
| Jc | épître de Jacques |
| Jn | évangile selon Jean |
| 1Jn | épître de Jean |
| Jude | épître de Jude |
| Lc | évangile selon Luc |
| Mc | évangile selon Marc |
| Mt | évangile selon Matthieu |
| 1P | 1$^{re}$ épître de Pierre |
| Ph | épître aux Philippiens |
| Phm | épître à Philémon |
| Rm | épître aux Romains |
| 1Th | 1$^{re}$ épître aux Thessaloniciens |
| 2Th | 2$^{e}$ épître aux Thessaloniciens |
| 1Tm | 1$^{re}$ épître à Timothée |
| Tt | épître à Tite |

# TEMPS DE PÂQUES

# Vigile ou Jour de Pâques
## Luc 24,1-12

### ÉVANGILE DE JÉSUS
selon l'écrit de Luc

Le premier jour de la semaine, à l'aube profonde, [les femmes] viennent à la sépulture : elles apportent les aromates qu'elles ont préparécs. Elles trouvent la pierre roulée de devant le sépulcre. Elles entrent et ne trouvent pas le corps du Seigneur Jésus. Alors, comme elles ne savent pas quoi faire et penser de cela, voici que deux personnes se présentent à elles, habillées de lumière étincelante. Elles se mettent à frémir ; elles tiennent leur visage incliné vers le sol.

Ils leur disent : « Pourquoi cherchez-vous le Vivant parmi les morts ? Il n'est pas ici, mais il est ressuscité ! Souvenez-vous comment il vous a parlé quand il était encore en Galilée. Il disait du Fils de l'homme qu'il lui faut être livré aux mains des pécheurs, être crucifié, et se relever au troisième jour. » Alors, elles se souviennent de ses paroles.

Revenues du sépulcre, elles annoncent tout cela aux Onze et à tous les autres. Il y a Marie la magdaléenne, Jeanne et Marie (mère de Jacques) et leurs autres compagnes. Elles disent cela aux apôtres.

Mais ce qu'elles disent leur semble du délire et ils ne les croient pas. Mais Pierre se lève et court au sépulcre. Comme il se penche, il voit les bandelettes, seules. Il revient chez lui, étonné de ce qui est arrivé.

Dans ce dernier chapitre de Luc se trouve rassemblées quatre scènes importantes : l'annonce de la résurrection qui est faite aux femmes (épisode ci-dessus) ; la manifestation du Ressuscité aux deux disciples sur la route d'Emmaüs ; la rencontre de Jésus avec les Onze ; et la séparation définitive vers Béthanie.

Dans cette douzaine de versets de l'Écrit de Luc se trouve décrit le moment le plus important de l'histoire humaine. En effet, ou bien ce texte est un beau poème — fruit de l'imagination des disciples de Jésus — ou bien nous nous trouvons devant l'événement central de l'histoire : la résurrection de Jésus de Nazareth, fils premier-né du Père Divin.

Il semble que les quatre scènes (décrites dans ce chapitre de Luc) se vivent toutes dans la même journée. On devine que c'est là un procédé symbolique : Luc veut sans doute inscrire ces faits — qui marquent le début d'un temps nouveau de l'histoire — ou bien dans le *Jour du Seigneur*, ce que nous appellerons le Dimanche ou bien dans le *Troisième Jour* après la mort de Jésus, le Jour des Derniers Temps. Nous expliciterons le sens de ces symboles. Le même Luc donnera des données différentes dans son 2e livre : les Actes des Apôtres. En effet il parlera alors de 40 jours entre la résurrection et l'ascension. Là encore le chiffre 40 devra être compris comme un symbole : peut-être celui du temps nécessaire pour l'initiation des disciples à l'enseignement du Ressuscité :

> C'est [aux apôtres] que [Jésus] s'était présenté vivant après sa passion. Ils en avaient eu plus d'une preuve alors que pendant 40 jours il s'était fait voir d'eux et les avait entretenus du Règne de Dieu. (Ac 1,3)

Au début, les premiers chrétiens célébreront d'ailleurs en une seule fête : résurrection et ascension. Et c'est seulement au 4e siècle qu'on fera de l'Ascension une fête particulière.

### Le premier jour de la semaine, à l'aube profonde.

Les femmes devaient attendre la fin du repos du sabbat pour pouvoir se rendre au tombeau. Il semble qu'elles soient parties de nuit. Mais cela peut suggérer aussi qu'elles sont dans la nuit puisque leur Maître si cher est dans le tombeau, parti pour « le pays de l'ombre et de la mort ». Ce sera dans cette obscurité de la mort que vont briller comme l'éclair les deux messagers, porteurs de la lumière de la résurrection. Les premiers chrétiens se réuniront à la fin du sabbat et passeront la nuit dans la prière, attendant l'aube pour chanter l'Alleluia de la résurrection. On appellera ce jour le Jour du Seigneur, en latin *dies dominicus* qui deviendra par contraction *diominica* et donnera en français *di-manche*.

### [Les femmes] viennent à la sépulture : elles apportent les aromates qu'elles ont préparées.

C'était la fonction des femmes d'embaumer le corps des morts. L'embaumement n'avait pas été complété le vendredi car le sabbat approchait. On sait en effet que la coutume juive est de faire commencer toute fête la veille au soir avec l'apparition de la première étoile. Elles viennent au sépulcre. Le mot grec qui est utilisé ici, *mnèma*, signifie le *souvenir*. Nous employons aussi le mot *mémorial* pour désigner un monument aux morts. Il n'y a plus, pour ces femmes, qu'un souvenir de Celui qu'elles ont suivi comme leur Maître.

### Elles trouvent la pierre roulée de devant le sépulcre.

Les tombeaux étaient en général des cavités creusées dans le roc ou aménagées dans des grottes. L'entrée était basse et fermée par une grosse pierre ronde qui pouvait être roulée pour dégager l'orifice. À l'intérieur, il y avait comme des banquettes de pierre (parfois sur plusieurs étages) pour recevoir les cadavres. Pour une certaine tradition juive, les cimetières symbolisaient le *shéol* qui désignait le lieu où les défunts descendent dans l'attente de la résurrection. Un tombeau fermé par cette lourde pierre manifeste que la mort a enfermé la vie. Mais la pierre roulée — et le tombeau ouvert — pouvait signifier symboliquement que le mort est remonté du *shéol* et donc que la vie a vaincu la mort.

### Elles entrent et ne trouvent pas le corps du Seigneur Jésus.

Le souvenir du défunt n'est donc plus ici. L'appellation *Seigneur Jésus* est unique dans le récit évangélique de Luc. Elle sera au contraire courante dans son deuxième volume, les Actes des apôtres :

> Dieu l'a fait Seigneur et messie, ce Jésus que vous avez crucifié. (Ac 2,36)

Le mot *Seigneur* est le mot qui désigne Dieu lui-même, dans la traduction grecque de la Bible. Luc veut-il suggérer que Jésus est maintenant dans la gloire, c'est-à-dire dans l'amour de Dieu, qu'il est maintenant associé, uni au Père ? Paul traduira cela maintes fois dans ses lettres :

> Cet Évangile concerne son fils, issu selon la chair de la lignée de David, établi selon l'Esprit Saint fils de Dieu avec puissance de par sa résurrection d'entre les morts, Jésus messie notre Seigneur. (Rm 1,4)

> Dieu lui a conféré le Nom qui est au-dessus de tout nom : Jésus est Seigneur. (Phi 2,11)

### Alors, comme elles ne savent pas quoi faire et penser de cela, voici que deux personnes se présentent, habillées de lumière étincelante.

Luc souligne avec force le désarroi des femmes : elles sont loin de s'attendre à la résurrection. Ni la pierre roulée, ni l'absence du corps ne les ont conduites à penser que Jésus est ressuscité. Cette résurrection ne peut d'ailleurs être le fait de la réflexion humaine. Elle est révélée par Dieu. C'est le sens symbolique de ces deux êtres de lumière. Nous voici au cœur même du récit : Dieu annonce à ces femmes la victoire de Jésus sur la mort.

**Elles se mettent à frémir; elles tiennent
leur visage incliné vers le sol. Ils leur disent:
«Pourquoi cherchez-vous le Vivant parmi les
morts? Il n'est pas ici, mais il est ressuscité!»**

L'attitude des femmes est celle qui est, dans la Bible,
la réaction habituelle devant la manifestation du
divin. *Moïse se voila le visage car il craignait de regarder Dieu* (Ex 3,6), lit-on dans l'Exode lorsque Moïse
entend la voix divine jaillir du buisson en feu. Par
ces messagers, c'est Dieu, le maître de la vie, qui
témoigne que Jésus est maintenant le Vivant, qu'il
est vainqueur de la mort. Ce titre (le Vivant) sera un
de ceux que les premiers chrétiens donneront à Jésus
ressuscité. Ainsi Pierre, dans un discours sous les
portiques du Temple, s'écrie:

> Le Prince de la vie que vous aviez fait mourir, Dieu l'a
> ressuscité des morts, nous en sommes témoins. (Ac 3,15)

Et le livre de l'Apocalypse décrit ainsi le Fils de
l'homme:

> Je suis le Premier et le Dernier, le Vivant: je fus mort
> et voici, je suis vivant pour les siècles des siècles et je
> tiens les clés de la mort. (Ap 1,18)

Pour traduire cette nouvelle vie qui est celle de
Jésus, le vocabulaire chrétien parlera de résurrection.
Le mot *ressuscité* pourrait aussi être traduit *il s'est
relevé* ou *il s'est réveillé* du sommeil de la mort. Le
verbe grec comporte ces deux images. Le verbe est au
passif: *s'est réveillé, s'est relevé* pour souligner que c'est
Dieu lui-même qui ressuscite, réveille Jésus du sommeil de la mort. Il ne faut donc plus chercher Jésus
dans ce lieu de la mort: *Il n'est pas ici*. Il faudra chercher Jésus parmi les vivants, les gens qui sont debout.

Cela est valable désormais pour tous les temps.
À l'emplacement du tombeau de Jésus (au saint
sépulcre de Jérusalem), les pèlerins d'aujourd'hui
peuvent voir cette inscription: «Il n'est pas ici».

Jésus est désormais le compagnon qui chemine avec tous les pèlerins du monde, comme il l'a fait avec les deux disciples qui marchaient vers Emmaüs (*cf.* Lc 24,13 et ss). Et il se trouvera tout particulièrement avec les sans-abri, les malades, les prisonniers, les esseulés... comme il l'a dit dans la parabole du Jugement dernier (*cf.* Mt 25,31 et ss).

*Souvenez-vous comment il vous a parlé quand il était encore en Galilée. Il disait du Fils de l'homme qu'il lui faut être livré aux mains des pécheurs, être crucifié, et se relever au troisième jour.*

Au lieu de se souvenir du cadavre de Jésus, les femmes sont invitées à se souvenir des paroles du Maître. Ce sont ces paroles qui auraient dû conduire les femmes et les autres disciples à l'attente de la résurrection. Comme Luc le souligne à plusieurs reprises, la Parole des Écritures saintes — et maintenant la Parole de Jésus — peuvent nous conduire à comprendre le sens de la croix, de la mort de Jésus et de sa résurrection. Lors de la transfiguration, c'est Moïse et Élie — les représentants de la *Tora* et des Prophètes — qui viennent donner le sens de l'exode de Jésus, c'est-à-dire de son départ, de sa mort. Dans la parabole du riche et du pauvre Lazare, Jésus nous dit qu'il faut mettre en pratique les Écritures saintes pour comprendre la résurrection :

> S'ils n'écoutent pas Moïse ni les Prophètes, même si quelqu'un ressuscite des morts, ils ne seront pas convaincus. (Lc 16,31)

Aux disciples d'Emmaüs, le ressuscité fait découvrir dans la *Tora* et les prophètes le sens de la croix :

> Ne fallait-il pas que le Christ souffrît cela pour entrer dans sa gloire ? Et, parcourant Moïse et les Prophètes, il leur explique dans les Écrits ce qui le concernait. (Lc 24,26-27)

Lorsqu'il se manifeste aux Onze, le Ressuscité dira aussi :

> Il faut que s'accomplisse tout ce qui a été écrit de moi dans la *Tora* de Moïse, les Prophètes et les Psaumes. (Lc 24,44)

À quels passages des Écrits bibliques est-il fait allusion ici ? Peut-être au serviteur souffrant d'Isaïe, cet homme juste qui livre sa vie pour les fautes des humains ?

> Il était méprisé, laissé de côté par les hommes. ... Ce sont nos souffrances qu'il a portées. ... Il n'ouvre pas la bouche comme un agneau traîné à l'abattoir. ... Ayant payé de sa personne, il verra une descendance et sera comblé de jours. (Is 52,13-53,13 passim)

On peut aussi songer au texte du prophète Osée qui parle du 3ᵉ Jour :

> Au bout de deux jours il nous aura rendu la vie, au troisième jour il nous aura relevés et nous vivrons en sa présence. (Os 6,2)

Au temps de Jésus, ce 3ᵉ Jour était compris comme le Jour des derniers Temps, celui où Dieu triomphe définitivement des puissances du mal et de la mort, celui où Il fait revivre les morts.

En unissant ces deux textes, se dessine le projet de Dieu tel que Jésus le réalise : face aux puissances du mal, seul l'amour peut être le moyen de vaincre. Celui qui accepte de *livrer sa vie* plutôt que de choisir les moyens de la violence, celui-là est fidèle à l'Esprit de ce Dieu qui n'est qu'amour. Livrer sa vie, c'est vivre le pardon jusqu'au bout : le pardon qui est le geste ultime de l'amour pour guérir les cœurs de tout le mal qui les blesse à mort. Celui qui meurt dans l'amour, qui meurt d'amour, celui-là a gardé vivantes en lui — jusqu'au bout — toutes les forces de vie. Dieu le ressuscite en lui redonnant ce souffle de vie et d'amour qu'il a remis entre ses mains. Dieu lui donne de continuer à être Vivant pour toujours, d'une vie immortelle qui a vaincu le mal. La résurrection n'est donc pas le retour à la vie actuelle, la réanimation d'un cadavre. La résurrection de Jésus n'a rien à voir avec le retour à la vie de la fille de Jaïre ou du fils de la veuve de Naïm, ou de Lazare, le frère de Marthe et Marie. Ceux-là mourront à nouveau. *Christ ne meurt plus*, affirme l'apôtre Paul :

> Le Christ une fois ressuscité des morts ne meurt plus, la mort n'exerce plus de pouvoir sur lui. (Rm **6**,9)

Jésus vit autrement d'une vie immortelle qui est don de Dieu, qui est l'entrée dans la gloire de Dieu, dans la plénitude de son amour.

### *Revenues du sépulcre, elles disent cela aux apôtres. Mais ce qu'elles disent leur semble du délire et ils ne les croient pas. Mais Pierre se lève et court au sépulcre.*

Les récits évangéliques ne peuvent mieux souligner la difficulté à croire en la résurrection. Le récit de Jean dira :

> Ils n'avaient pas compris l'Écriture selon laquelle Jésus devait se relever d'entre les morts. (Jn **20**,9)

Même Pierre revient tout étonné. Il n'a pas encore compris le sens de la croix. On sait qu'il s'est objecté au projet de Jésus :

> Non, cela ne t'arrivera pas, seigneur. (Mt **16**,22)

A-t-il saisi ce qui s'est passé sur la montagne de la transfiguration ? Son triple reniement maintient-il encore ses yeux « empêchés de comprendre » ? Pour lui, comme pour les disciples d'Emmaüs, l'événement Jésus n'est-il pas terminé ? Pense-t-il que Celui qu'il a suivi comme le chemin de la vérité et de la vie les a conduits à la mort ? Que Celui en qui il a vu le messie n'était qu'un rabbi (attachant certes) mais que Dieu a abandonné ? Le maître qui a dit : *Je suis la vie* n'est-il pas désormais mort ? Comment les paroles de Jésus et des Écrits bibliques pourront-elles conduire Pierre à confesser : « Le Seigneur est vraiment ressuscité » ? Pour cela, le Ressuscité devra-t-il se faire voir ?

La suite du récit de Luc nous dit qu'il est apparu à Simon (*cf.* Lc **24**,34). Paul le confirme dans la lettre aux Corinthiens :

> Il est apparu à Céphas, puis aux Douze. (1Co **15**,5)

Mais peut-être faudra-t-il aussi que les paroles bibliques se mettent à vivre dans la vie de Pierre ? Dans le récit de Jean, le Ressuscité demandera à Pierre à trois reprises : « Pierre, m'aimes-tu ? » (Jn 21,15 et ss) et il lui confiera la mission de paître avec amour la communauté des disciples, tout spécialement en transmettant le pardon de Dieu :

> Recevez le souffle de sainteté. Ceux à qui vous remettrez les péchés, ils seront remis. (Jn **20**,22-23)

Remettre les péchés ne peut se faire qu'en aimant gratuitement jusqu'au pardon, et pour cela il faut *livrer sa vie*, comme Jésus l'a fait.

On ne comprend donc le sens de la croix qu'en vivant ce qu'elle signifie :

> Qui veut sauver sa vie la perdra, mais qui perd sa vie à cause de moi la sauvera. (Lc **9**,24)

La croix nous apparaît spontanément comme un symbole de souffrance et de mort, parce que nous ne voyons pas son lien avec la force d'amour dans le cœur de celui qui la porte et sans laquelle elle n'a pas de sens. Comme le dit Maurice Zundel :

> la croix est le berceau de l'Amour. C'est pourquoi elle est si belle : l'Arbre de Vie. C'est pourquoi il ne faut jamais la séparer de l'Amour : autrement elle n'est que du bois mort.

Ce n'est pas la souffrance en elle-même qui nous sauve. Mais c'est l'amour et seulement l'amour. Alors pourquoi la croix? Thérèse d'Avila disait: « Aimer, c'est souffrir beaucoup pour ceux qu'on aime. » Et Aragon: « Il n'y a pas d'amour qui ne soit à douleur. » Ne prenons pas les choses à l'envers: de la souffrance seule on ne fera jamais jaillir une once de générosité. « C'est parce que Jésus m'a aimé qu'il s'est livré pour moi », disait Paul (Ga 2,20). Si un cœur est rempli d'amour, alors il ne calcule plus les risques, et il est capable de sacrifier temps, argent, réputation pour faire jaillir la vie, pour communiquer la vie. Certes, il n'est pas toujours facile de croire au pardon, à sa force de guérison. Mais, malgré tous les blocages, les refus, les égoïsmes et les trahisons, celui qui aime comme Jésus ne désespère jamais de la force de l'amour. Il est nécessaire au pardon d'être animé par cette qualité d'amour dont parle Paul dans la lettre aux Corinthiens:

> L'amour excuse tout, il croit tout, il espère tout, il endure tout. (1Co 13,7)

Ainsi la résurrection de Jésus n'est pas d'abord comme une sorte de preuve de sa divinité. Elle n'est pas un événement spectaculaire parce que notre foi aurait besoin de sensationnel. Elle est l'aboutissement de sa vie d'amour. Elle est l'éclatement de cette vie comme l'être vivant surgit des douleurs de l'enfantement:

> Lorsque la femme enfante, elle est dans l'affliction, mais lorsqu'elle a donné le jour à l'enfant, elle est toute à la joie d'avoir mis un être au monde. (Jn 16,21)

La résurrection n'est pas non plus quelque chose qui ne concernerait que Jésus. Elle est la source quotidienne à laquelle nous pouvons venir puiser et la vie et l'amour. Puiser la force de *re-naître*, chaque fois que l'égoïsme a éteint en nous ce qui fait véritablement vivre, ce qui fait de nous un vivant : c'est-à-dire la bonté et la générosité. On ne peut être témoin de la résurrection de Jésus qu'en cherchant sans cesse le Vivant, non dans le souvenir mais en actualisant la Parole de Jésus : qui perd sa vie, sauve son amour.

Reprenons ce que disait Maurice Zundel :

> Le mystère de la résurrection, c'est le mystère de notre vie, non pas seulement au dernier Jour ... mais aujourd'hui et à tous les instants de notre vie. C'est aujourd'hui qu'il me faut ressusciter, c'est aujourd'hui qu'il faut entrer dans ce mystère qui va transformer toute notre vie, pour que le mystère de Jésus, que la résurrection de Jésus, nous apparaisse en effet comme un moment essentiel de l'Histoire humaine et de la nôtre.

C'est aujourd'hui que sa Parole doit me faire vivre parce que j'essaie d'aimer comme lui et avec lui. La résurrection est l'aboutissement de notre communion au Père divin : elle est la plénitude de notre humanité telle que Dieu l'a voulue. Elle ne peut se manifester qu'au-delà de la mort, mais elle se prépare lentement et secrètement dans le quotidien de notre vie. Tout acte de véritable amour, de bonté, est un acte divinisé, inspiré par Dieu, qui prépare notre résurrection.

> Les derniers mots de Jésus, ce n'est pas d'aimer Dieu, c'est d'aimer l'Homme. ... En Jésus, il y a la passion de l'homme jusqu'à la mort de la croix. ... Jésus sait que tout est perdu, que Judas l'a vendu, que Pierre va le renier, que Jean va s'endormir, que tous vont s'enfuir. Mais il sait aussi que le royaume de Dieu n'est nulle part ailleurs que dans l'homme : l'homme ouvert, transparent, généreux, l'homme qui laisse passer à travers lui toute cette vie de Dieu dont toute conscience humaine porte à son insu le trésor. (Maurice Zundel, Revue *Écritures*, Lausanne, janvier 1997)

*

*   *

*Père, toi qui relèves Jésus de la mort,*
*aide-nous à croire au soleil intérieur*
*que ton esprit d'amour crée en notre cœur.*
*Apprends-nous que la vérité de la résurrection*
*n'est jamais dans un livre*
*mais qu'elle est toujours ancrée*
*dans la vérité d'une vie*
*qui se donne par amour. Amen !*

## QUESTIONS DE COMPRÉHENSION ET D'APPROPRIATION

1. Quelle est l'origine du mot *dimanche* ?
2. Que signifie le mot ressusciter ?
3. Que signifie l'expression : « le 3e Jour » ?
4. Quel lien peut-on faire entre notre communion au Christ ressuscité et la mission d'être témoins du pardon ?
5. Pourquoi faut-il souffrir pour goûter à la résurrection ?
6. Qu'est-ce que peut signifier la résurrection aujourd'hui dans notre vie quotidienne ?

## 2e dimanche de Pâques
### Jean 20,19-31

### ÉVANGILE DE JÉSUS
selon l'écrit de Jean

C'est donc le soir, ce premier jour de la semaine, les portes ayant été verrouillées là où se trouvent les disciples — par crainte des Juifs — , Jésus vient et, se tenant au milieu d'eux, leur dit : « Paix à vous ! » Cela dit, il leur montre ses mains et son côté. Les disciples sont alors remplis de joie à la vue du Seigneur.

Jésus leur dit donc de nouveau : « Paix à vous ! Comme le Père m'a envoyé, moi aussi je vous donne mission. » Cela dit, il insuffle son souffle en eux et leur dit : « Recevez l'Esprit de sainteté. Ceux à qui vous remettez les péchés, ils sont remis, ceux à qui vous les retenez, ils sont retenus. »

Thomas, l'un des Douze, appelé le Jumeau, n'était pas avec eux lorsque Jésus est venu. Les autres disciples lui disent : « Nous avons vu le Seigneur ! » Mais celui-ci leur dit : « Si je ne vois pas dans ses mains la marque des clous et ne place pas mon doigt dans la marque des clous et ne place pas ma main dans son côté, sûrement que je ne croirai pas. »

Huit jours après, ses disciples sont de nouveau à l'intérieur et Thomas est avec eux. Jésus vient, les portes ayant été fermées, et se tenant au milieu il dit : « Paix à vous ! » Puis, il dit à Thomas : « Porte ton doigt ici et vois mes mains. Porte ta main et place-la dans mon côté. Cesse d'être incroyant, mais croyant ! » Thomas répond et lui dit : « Mon Seigneur et mon Dieu ! » Jésus lui dit : « Parce que tu m'as vu, tu as cru. Heureux ceux qui n'ont pas vu et ont cru. »

En présence de ses disciples Jésus a fait encore beaucoup d'autres signes qui ne sont pas écrits dans ce livre. Ceux-ci ont été écrits pour que vous croyiez que Jésus est le messie, le Fils de Dieu, et pour qu'en croyant vous ayez vie en son nom.

Notre récit se situe le soir du grand jour de l'histoire humaine : le jour marqué des premières manifestations de Jésus ressuscité. Le matin de ce jour, Jésus apparaît à Marie de Magdala. Le soir, alors que les disciples sont réunis, Jésus vient pour leur donner mission.

Pour bien comprendre ce qui va se vivre en cette soirée, il faut rappeler le dernier repas que Jésus a pris avec ses disciples, un repas marqué fortement par les propos qui concernent son départ vers le Père. Ce que Jésus leur a promis alors, se réalise maintenant :

> Je ne vous laisserai pas orphelins : je viens à vous. Le monde ne me verra plus mais vous, vous me verrez. (Jn 14,18-19)

Ce départ vers le Père ne signifie nullement un abandon de la part de Jésus. Au contraire, étant monté vers le Père, Jésus se trouve en communion avec ses disciples : une communion plus parfaite que celle que Jésus a vécue jusqu'alors.

> Vous l'avez entendu : je vous ai dit que je m'en vais et que je viens à vous... Si quelqu'un garde et vit ma parole, le Père et moi nous viendrons à lui et nous établirons chez lui notre demeure. (Jn 14,28. 23)

Cette présence divine va se réaliser spirituellement : une présence invisible à nos yeux mais plus réelle que la présence physique. Elle sera une communion qui va se situer au plan le plus profond de l'être : dans le cœur, lieu intime où se décident les choix qui font vivre *à la manière* de Dieu. De son vivant, Jésus a longuement éduqué ses disciples en leur communiquant les manières d'être du Père :

> Ce que j'ai appris du Père, je vous l'ai fait connaître. (Jn 15,15)

L'éducation est un long apprentissage de manières d'être et d'agir. Depuis notre enfance, nous apprenons à parler, à manger, à marcher... Ces apprentissages s'impriment dans notre mémoire. Garder la parole de Jésus et en vivre, c'est conserver, comme imprimés *dans la mémoire du cœur,* les gestes qui font agir à la manière du Père divin. Reprendre les façons d'agir du Père, c'est Lui permettre de demeurer en nous. Ces manières d'être de Dieu sont celles de l'amour dans sa perfection : un amour qui est miséricorde, gratuité, pardon. Là où Matthieu conclut : « Soyez parfaits comme votre Père est parfait » (Mt 5,48), Luc traduit : « Soyez miséricordieux comme votre Père est miséricordieux » (Lc 6,36). Jésus n'a cessé de dire à ses disciples comment le Père agit.

En agissant comme le Père, en agissant par le Père, le disciple vit de la vie du Père : divinement. Cette vie est déjà une vie d'éternité car elle est une vie d'amour que la mort physique ne peut détruire :

> Nous savons que nous sommes passés de la mort à la vie parce que nous aimons nos frères. Qui n'aime pas demeure dans la mort. (1Jn 4,14)

Autrement dit, pour voir Jésus ressuscité, pour le voir vivant au-delà de la croix, il faut être sur la même longueur d'onde de vie que lui : la longueur d'onde de l'amour :

> Le monde ne me voit plus. Mais vous, vous me voyez parce que moi, je vis et que vous, vous vivez. En ce jour, vous connaîtrez que je suis en mon Père et que vous êtes en moi et moi en vous. (Jn 14,19-20)

Cette perception de la communion intime qui unit à Dieu et à Jésus, voilà ce qui met dans le cœur des disciples la joie pleine qui leur a été promise :

> Je vous verrai et votre cœur se réjouira. (Jn 16,22)

Cette joie ne peut être enlevée par aucune des difficultés de la vie quotidienne, car elle est née de notre enfantement à la vie éternelle. Cet enfantement à la vie véritable — éternelle — se fera de la même manière que pour Jésus :

Nous connaissons ce que c'est qu'aimer en ce que [Jésus] a livré sa vie pour nous et que nous devons livrer notre vie pour nos frères. (1Jn 4,16)

### Il leur montre ses mains et son côté; voyant le Seigneur, les disciples sont alors remplis de joie.

La joie des disciples est associée à la vue des mains qui portent la marque des clous et du côté percé par la lance. Non seulement le Ressuscité est bien le même que le Crucifié (les marques dans les mains et dans le côté l'identifient), mais plus encore, c'est par le don d'amour qui l'a cloué sur la croix que Jésus est passé de la mort à la vie d'éternité. Cet enfantement mystérieux à la vie d'éternité a eu lieu: enfantement qui n'est certes pas sans douleurs mais qui conduit à la vie:

> Lorsque la femme enfante, elle est affligée... mais lorsqu'elle a donné le jour à l'enfant, elle ne se souvient plus de la souffrance à cause de la joie de ce qu'un être humain est venu au monde. (Jn 16,21)

La croix — parce qu'elle est l'ultime geste de l'amour — conduit à la vie éternelle: cette vie qui trouve son souffle dans le souffle de l'amour divin.

### Jésus leur dit donc de nouveau: «Paix à vous!»

Dans la langue juive *Shalom* — qui veut dire: Paix à vous! — est l'équivalent de notre *Bonjour*. On pourrait alors s'étonner que cet homme qui revient de la mort ne trouve rien d'autre à dire que: Bonjour! De quelqu'un qui est aux portes de la mort, nous attendons des paroles fortes: un testament. De Celui qui revient de la mort, on peut s'attendre à des propos plus forts encore, plus essentiels pour notre vie. Mais ce souhait de la paix n'est pas dit avec banalité. Non seulement il est répété mais il va être expliqué par un geste peu habituel : une insufflation. Il est peu ordinaire d'insuffler son propre souffle dans la bouche de quelqu'un. Nous le faisons pour redonner le souffle à ceux qui viennent de le perdre : ce que nous appelons la respiration artificielle, le bouche-à-bouche.

Cette insufflation peut ainsi redonner le souffle, la respiration à celui qui l'a perdue : elle fait revivre. Dans le 1ᵉʳ livre de la Bible, la Genèse, le même verbe « insuffler » est employé pour décrire la création de l'humain :

> Dieu souffle son souffle vital dans les narines de l'être humain. (Gn 2,7)

Le verbe est encore repris dans le livre de la Sagesse pour décrire celui qui se tourne vers des dieux qui sont des idoles :

> Il ignore Celui qui l'a façonné, qui a soufflé en lui un souffle de vie et insufflé un esprit qui fait vivre. (Sg 15,11)

Enfin on retrouve ce verbe dans le prophète Ézéchiel pour décrire la promesse de Dieu à son peuple, Israël, alors qu'il est en exil, loin de sa terre, comparable à un immense amas d'ossements desséchés :

> « Souffle, souffle sur ces morts et ils vivront. » Je prononçai l'oracle [de Dieu], le souffle entra en eux et ils vécurent. (Éz 37,9-10)

Ici, de quelle création peut-il s'agir ? Jésus l'explicite :

> Recevez l'Esprit de sainteté. Ceux à qui vous remettez les péchés, ils leur sont remis. (vv. 22-23)

La remise des péchés est une re-création. Le vocabulaire « remettre-retenir » évoque un langage juridique, mais il est aussi évocateur de l'an de grâce. *L'an de grâce* est cette année jubilaire que le Lévitique prévoit tous les 50 ans, où Dieu et ses fidèles effacent toute dette sans mettre aucune condition (*cf.* Lv 25,10-13). Au début de l'Évangile de Luc, Jésus définissait sa mission comme la proclamation de l'an de grâce (*cf.* Lc 4,19).

Voici donc la mission confiée désormais par Jésus à ses disciples : transmettre un souffle spirituel qui pardonne et recrée pour faire de chacun et chacune un être *nouveau*. « Je mettrai mon souffle en vous pour que vous viviez », avait dit Dieu (*cf.* Éz 37,5). En ce jour unique de l'histoire humaine, un être de notre race humaine réalise cette promesse : Jésus est porteur de ce souffle de vie et d'amour qui peut *pardonner* et *re-créer* tout humain qui veut bien l'accueillir ; et cela parce qu'il est en communion parfaite avec le Père, parce qu'il a vaincu le mal en son cœur, parce qu'il est vivant pour toujours de la vie divine. Le pardon n'est pas l'oubli de la faute ou son excuse, mais bien plutôt le don d'un souffle de vie et d'amour qui peut recréer en guérissant le cœur de celui qui a fait *mal*. Et celui qui accueille en lui ce souffle de vie devient à son tour capable de le transmettre à son prochain. Bien plus, il ne pourra accueillir en vérité le souffle divin de l'amour *que* s'il se rend disponible à le communiquer à ceux qui se trouvent sur son chemin. « Pardonne-nous comme nous pardonnons », dit la prière de Jésus. Et le Talmud dit :

> Pour celui qui fait preuve de compassion à l'égard de son prochain, qui pardonne le mal qu'on lui fait, le Ciel est miséricordieux.

### Comme le Père m'a envoyé, moi aussi je vous donne mission.

Faire rayonner cet amour divin qui sans cesse *re-crée* notre être pour en faire un cœur aimant, c'est la tâche que Jésus transmet désormais aux siens, comme le Père la lui avait transmise. La communauté des disciples devient le prolongement de Jésus lui-même. L'apôtre Paul parlera des chrétiens comme étant le Corps du Christ : il est la tête et ils sont les membres. Jésus avait parlé de vigne : il est le tronc et ses disciples sont les sarments (*cf.* Jn 15).

Voici comment s'est manifesté l'amour de Dieu au milieu de nous : Dieu a envoyé son Fils unique dans le monde pour que nous vivions par lui. (1Jn 4,9)

L'envoi par le Père n'a pas d'autre but que de sauver chaque humain par l'amour.

Dieu a envoyé son Fils dans le monde pour que le monde soit sauvé par lui. (Jn 3,12)

Le Fils n'est pas venu d'abord pour nous expliquer des vérités philosophiques, mais pour transmettre la force du pardon qui refait chacun comme un être aimant et miséricordieux.

Lorsque se sont manifestés la bonté de Dieu notre Sauveur et son amour pour les humains, Il nous a sauvés, non en vertu d'actions que nous aurions accomplies nous-mêmes droitement, mais en vertu de sa miséricorde par un bain de renaissance et de renouvellement que produit l'Esprit saint. (Tt 3,5)

Cette mission ne se limite pas aux frontières de la communauté des disciples ; elle est sans frontières. Le chrétien est porteur de l'amour de Dieu pour *tout* être humain dont il doit se faire le prochain, comme le dit la parabole du bon Samaritain :

Lequel s'est montré le prochain de l'homme qui est tombé aux mains des bandits ? C'est celui qui a fait preuve de bonté envers lui. (Lc 10,36-37)

La bonté que Jésus nous donne de vivre, il nous demande de la partager avec ceux qui ont besoin : besoin de pain, de soins et de travail (*cf.* Mt 25,31-46), mais aussi de dignité, d'amitié, d'espérance et... de pardon. Dire : Paix à toi ! ne doit donc pas être seulement un souhait mais devenir un don : Que la paix de Dieu vienne réellement en toi ! et cela parce que je te donnerai part à l'Esprit qui demeure en moi.

Un texte d'Isaïe décrit la mission première du messie : apporter la paix au peuple des fils et filles de Dieu.

Un fils nous a été donné. On proclame son nom : Prince de la paix. (Is 9,5)

À la différence du français « paix » dont l'étymologie (pal) n'évoque peut-être que l'absence de chicane — dans la mesure où chacun respecte les limites du territoire de l'autre délimité par des pals, des pieux — le mot juif *shalom* décrit plutôt la concorde et la cohésion dans l'harmonie. Il évoque ainsi la réconciliation.

C'est parce qu'il est toute miséricorde que Dieu est l'auteur de la paix.

L'Éternel est clément, miséricordieux, lent à la colère, plein de grâce et d'équité, qui reste fidèle jusqu'à des milliers de générations, qui supporte la faute, la rébellion et le péché. (Ex 34,6-7)

Telle est la révélation faite à Moïse. C'est à cause de cette toute puissante miséricorde de Dieu que la fête juive par excellence est celle du *Yom Kippour*, le Jour du Grand Pardon. Toutes les fêtes juives pourraient bien disparaître, *Kippour* demeurerait, dit-on. En ce jour, la liturgie juive fait lire le livre de Jonas. On sait que le prophète Jonas a été envoyé par Dieu prêcher la conversion aux païens de Ninive parce que, précisément, la miséricorde divine est pour tous, et non pour les seuls Juifs. Voici comment Jean Mouttapa décrit la mission de Jonas :

De même que le grand prêtre, à l'époque du Temple, était littéralement « avalé » dans le Saint des saints le jour de Kippour, de même Jonas a été avalé par un « gros poisson ». ... Durant trois jours et trois nuits, le prophète demeure là, dans le ventre de l'animal marin ... comme pour une gestation dans une matrice féminine. ... Il prépare dans cette matrice sa renaissance, la reconversion totale de son être. Et cette révolution intérieure consistera à comprendre, à assumer, à porter la Miséricorde divine envers tous, les pécheurs comme les justes, les païens comme les Israélites. ... Au sein de cette matrice (*rehem* en hébreu), il pénètre l'infinie puissance de Miséricorde (*rahamin*, mot de même racine que *rehem*), attribut suprême de ce Dieu dont il n'avait perçu, jusque-là, que la redoutable Justice. (*Dieu et la révolution du dialogue*, Albin Michel, 1996, p. 87)

Jésus, lui aussi, a passé trois jours et trois nuits dans le ventre de la terre. Son rejet par les puissants de son peuple est le symbole du rejet de l'amour par le péché humain : comme une descente aux profondeurs infernales du mal. Mais Jésus sort vainqueur de ce combat avec le mal, par sa fidélité à l'amour. On retrouve l'image de l'enfantement. La croix, et la descente dans les profondeurs du mal, est comme une matrice qui enfante un Christ éternellement vivant de la miséricorde divine. Aussi il re-vient porteur de la compassion divine pour tous... et pour toujours. En lui, il n'y a et il n'y aura jamais trace de péché. Ainsi il est le médiateur de la communion entre nous et le Père. Il est le médiateur d'une alliance qui est éternelle parce qu'il est ressuscité, immortel ; une alliance qu'il sera toujours possible à chacun des fils et des filles de Dieu de renouveler lorsque, par la faute, elle sera rompue ou détériorée. Jésus accomplit en son être la promesse divine décrite en Ézéchiel :

> Je vous donnerai un cœur neuf et je mettrai en vous un esprit neuf. ... Je mettrai en vous mon propre esprit. (Éz **36**,26-27)

Voilà le fruit de la croix : parce qu'il a vaincu le mal par l'amour, parce qu'il est vivant pour toujours, Jésus est celui qui peut sauver chacun et chacune : il s'offre comme le compagnon porteur de l'amour qui vient de Dieu, comme l'ami qui peut faire vivre de la vie véritable : « Je suis le vrai chemin de la vie. » (Jn **14**,6)

### Thomas répond et lui dit : Mon Seigneur et mon Dieu !

Jésus — même s'il est vivant — demeure invisible à nos yeux aujourd'hui. L'épisode de l'apôtre Thomas, qui vient clore le récit évangélique de Jean, décrit le mode de relation qui sera désormais celui de Jésus avec ses disciples tout au long de l'histoire. Dans les jours qui suivent Pâques, les apôtres Jean et Pierre rétorquent au Sanhédrin qui veut les faire taire :

> Quant à nous, nous ne pouvons taire ce que nous avons vu et entendu. (Ac 4,20)

S'ils ont foi en Jésus ressuscité, c'est parce qu'ils ont expérimenté que Jésus est porteur de résurrection : comme pour cet infirme que Jésus, par la voix de Pierre, a fait marcher :

> De l'argent je n'en ai pas ; mais ce que j'ai, je te le donne : au nom de Jésus, marche ! (Ac 3,6)

> C'est par Jésus, crucifié par vous, ressuscité par Dieu, c'est grâce à lui que cet homme se trouve guéri. (Ac 4,10)

Voilà l'expérience chrétienne en ce qu'elle a de plus fondamental : celui qui a été rejeté, Jésus, est devenu la source de toute vie parce que source de l'amour divin. Pierre reprend l'image que Jésus avait empruntée lui-même au psaume (*cf.* Ps 118,22) :

> La pierre que les bâtisseurs ont rejetée est devenue la pierre angulaire. (Ac 4,11)

Il appartient maintenant aux apôtres d'en témoigner pour la suite de l'histoire :

> Ce que nous avons entendu, ce que nous avons vu de nos yeux, ce que nous avons contemplé et que nos mains ont touché de la Parole de vie ... nous vous l'annonçons afin que vous soyez en communion avec nous. (1Jn 1,1-3)

Dans sa première lettre, Pierre parle de l'indicible joie qui naît de la foi :

> Vous qui aimez [Jésus] sans l'avoir vu, en qui vous croyez sans qu'il vous soit visible, tressaillez d'une joie indicible, remportant comme prix de votre foi le salut de vos vies. (1P 1,8-9)

La parole de Jésus, transmise de génération en génération, devient source de la foi. Non parce que Jésus réclamerait de ses futurs disciples une foi aveugle, mais parce que la parole de l'Évangile nous fait faire la même expérience que Jésus si nous en faisons la règle de notre agir quotidien. Et cela est possible parce que Jésus est vivant et nous donne l'Esprit qui nous fait agir comme lui. En « faisant la Parole », nous passons sans cesse de la mort à la vie. On se trouve ici au-delà des preuves apologétiques, des preuves rationnelles qui voudraient nous convaincre en démontrant que Jésus est bien ressuscité. Il n'y a pas plus de preuve historique de la résurrection qu'un époux ne peut présenter de preuves irréfutables de l'amour de son épouse : c'est par l'amour qu'il fait confiance, en s'appuyant sur ce qu'il a déjà vécu avec celle qu'il aime. Demander des preuves de l'amour, c'est en tuer la gratuité. La Parole de Jésus nous fait ressusciter de toutes nos petites morts quotidiennes : elle nous fait expérimenter que l'égoïsme nous referme sur nous-mêmes et nous conduit à la tristesse, alors qu'aimer son prochain est source de joie ; que le doute en l'autre détériore l'amitié, alors que la confiance fait revivre des liens qu'on croyait morts ; que le ressentiment et le refus de pardonner ne conduisent qu'à souffrir, alors que le pardon donné peut apporter la paix à nous-mêmes et la guérison à notre prochain.

Expérimenter que le don de soi par amour fait vivre n'est pas hors de portée de notre vie quotidienne. La revue *Intuitions* (6 avril 1997) rapporte ce fait vécu d'un petit garçon du primaire :

> Un jour, en classe, voilà que lui arrive une grande humiliation : tout à coup, il découvre une flaque d'eau entre ses pieds et... que le fond de son pantalon est mouillé. Il ne comprend pas ce qui vient de lui arriver. Quand les autres découvriront cela, ils vont le ridiculiser sans répit,

pense-t-il. Soudainement, Suzie, qui transporte un poisson rouge dans un pot d'eau, échappe le pot et renverse
l'eau, juste sur les pantalons du garçon. Au lieu d'être
objet de ridicule, voilà que le garçon attire la sympathie :
le professeur va lui chercher des vêtements de sport pendant que ses camarades essuient le parquet. Suzie, elle,
veut aider mais on lui ordonne de se tenir loin : Tu es
trop maladroite! Le soir, dans l'autobus, le garçon va
vers Suzie et lui chuchote : Tu l'as fait par exprès, n'est-
ce pas? Suzie lui chuchote à son tour : J'ai déjà mouillé
mon pantalon, moi aussi!

À cause de sa compassion, Suzie a peut-être été
momentanément exclue, mais elle a fait revivre son
compagnon, et elle a reçu pour elle-même une joie
profonde. N'est-ce pas à partir de telles expériences
— où nous expérimentons que le don de soi par
amour est ce qui fait vivre en vérité — que nous pour-
rons jeter toute notre confiance en Jésus *notre Sei-*
*gneur et notre Dieu*?

Toute ma foi est là : je crois à cette vie d'un Autre en
moi. Je crois à la tragédie éternelle de l'Amour crucifié.
Je crois à la fragilité de Dieu : précisément parce que, s'il
n'y a rien de plus fort que l'amour, il n'y a rien de plus
fragile! (Maurice Zundel, *Ton visage, ma lumière*, Des-
clée, p. 147)

\*

\* \*

*Seigneur Jésus, insuffle en moi ton Esprit :*
*qui délivre, guérit, console, réconcilie, pacifie.*
*Qu'Il me délivre des peurs qui surgissent en moi.*
*Apprends-moi ta sagesse*
*qui relève de la cendre et de la poussière*
*et qu'ainsi, je devienne témoignage vivant*
*de ta résurrection. Amen !*

## QUESTIONS DE COMPRÉHENSION ET D'APPROPRIATION

**1.** Quel est le sens de l'expression : Paix à vous, dans la bouche de Jésus ?

**2.** Quelle mission Jésus donne-t-il à ses disciples au soir de la résurrection ?

**3.** Pourquoi comparer la remise des fautes à une re-création ?

**4.** Pourquoi tout disciple de Jésus peut-il pardonner ?

**5.** Quels peuvent être les signes de compassion donnés par les chrétiens d'aujourd'hui ?

**6.** Comment redonner souffle de vie à ceux qui l'ont perdu ?

**7.** Quels sont les signes de la résurrection de Jésus dont nous sommes les témoins ?

## 3ᵉ dimanche de Pâques
## Jean 21, 1-19

Jésus se manifeste encore aux disciples sur le bord de la mer de Tibériade. Voici comment il se manifeste. Il y a ensemble Simon-Pierre, Thomas appelé le jumeau et Nathanaël originaire de Cana en Galilée, et les fils de Zébédée, et deux autres de ses disciples. Simon-Pierre leur dit : « Je m'en vais pêcher. »

Ils lui disent : « Nous allons nous aussi avec toi. » Ils sortent et montent dans la barque. Cette nuit-là ils ne capturent rien. Quand l'aube est déjà arrivée, Jésus se tient sur le rivage. Cependant les disciples ne savent pas que c'est Jésus. Alors Jésus leur dit : « Les enfants ! Avez-vous quelque chose à manger ? » Ils lui répondent : « Non ! » Il leur dit : « Jetez le filet sur le côté droit du bateau et vous trouverez. » Ils jettent donc et n'ont plus la force de le tirer à cause de la multitude de poissons.

Alors le disciple que Jésus aime dit à Pierre : « C'est le Seigneur ! » Alors, quand Simon-Pierre entend que c'est le Seigneur, il se ceint de sa blouse — car il est dévêtu — et il se jette à la mer. Les autres disciples viennent en barque, en tirant le filet plein de poissons. Ils ne sont pas loin de la terre : à environ cent mètres. Lorsqu'ils débarquent à terre, ils voient qu'il y a là un feu de braises et du poisson placé dessus et du pain. Jésus leur dit : « Apportez de ces poissons que vous venez de capturer. » Simon-Pierre monte donc et tire à terre le filet plein de gros poissons : 153. Bien qu'il y en ait tant, le filet ne se déchire pas. Jésus leur dit : « Venez manger ! » Pas un des disciples n'ose le questionner : « Toi, qui es-tu ? » car ils savent que c'est le Seigneur. Jésus vient donc et prend le pain et leur donne ; et le petit poisson de même. C'est la troisième fois que Jésus se manifeste aux disciples depuis qu'il s'est réveillé d'entre les morts.

Quand ils ont mangé, Jésus dit à Simon-Pierre : « Simon, fils de Jean, m'aimes-tu plus que ceux-ci ? » Il lui dit : « Oui, Seigneur, tu sais que j'ai de l'amitié pour toi. » Il lui dit : « Fais paître mes agneaux. » Il lui redit une deuxième fois : « Simon, fils de Jean, m'aimes-tu ? » Il lui dit : « Oui, Seigneur, tu sais que j'ai de l'affection pour toi. » Il lui dit : « Sois pasteur de mon troupeau. » Il lui dit pour la troisième fois : « Simon, fils de Jean, as-tu de l'affection pour moi ? » Pierre est attristé de ce qu'il lui dise pour la troisième fois : « As-tu de l'affection pour moi ? » Il lui dit : « Seigneur, toi tu sais tout ; tu connais que j'ai de l'affection pour toi. » Jésus lui dit : « Fais paître mon troupeau. Amen, amen, je te dis : quand tu étais jeune, tu nouais toi-même ta ceinture et tu allais où tu voulais. Mais quand tu deviendras vieux, tu étendras les bras et un autre nouera ta ceinture et il t'entraînera là où tu ne veux pas. » Il dit cela pour signifier de quelle mort il glorifiera Dieu. Après ces paroles, il lui dit : « Suis-moi ! »

Ce chapitre 21 peut se comparer à un triptyque qui décrit les activités de la première communauté chrétienne d'après Pâques : le premier volet relate la pêche miraculeuse ; le second volet raconte le repas de Jésus et de ses disciples ; le troisième volet décrit le dialogue entre Jésus et Pierre.

Au premier abord, ce texte semble un ajout au récit évangélique de Jean. Le chapitre précédent s'est terminé par une conclusion qui semble finale :

> Jésus a opéré bien d'autres signes qui ne sont pas consignés dans ce livre. Ceux-ci l'ont été pour que vous croyiez que Jésus est le messie, le fils de Dieu. (Jn 20,30-31)

Pourtant voici que le récit reprend avec une apparition de Jésus, qu'on dit la troisième. La scène n'est plus à Jérusalem, comme dans le chapitre précédent, mais en Galilée. C'est sur cette mer (qui est en fait un lac) que Luc a situé une pêche miraculeuse qui se déroule au début du ministère de Jésus (*cf.* Lc **5**,1-11). On s'est demandé si ce n'était pas la même pêche que chaque évangéliste aurait utilisée en la plaçant à l'endroit le plus intéressant pour sa catéchèse. Ce récit ne semble pas être la suite du récit précédent : d'une part, il ne nous est pas donné de jour pour cette apparition ; d'autre part, il serait surprenant que les disciples ne reconnaissent pas le Ressuscité puisqu'il leur est apparu déjà deux fois et qu'il leur a confié de poursuivre sa mission de réconciliation :

> Ceux à qui vous remettrez les péchés, ils leur seront remis. (Jn **20**,23)

Ce récit se présente plutôt comme une sorte d'*épilogue* — indépendant chronologiquement de ce qui précède — comme on reproduirait à la fin d'un livre une peinture résumant tout l'ouvrage.

### Simon-Pierre monte donc et tire à terre le filet plein de gros poissons : 153. Bien qu'il y en ait tant, le filet ne se déchire pas.

Pourquoi les disciples sont-ils retournés à leur premier travail de pêcheurs ? Dans les récits de Marc et de Matthieu, au matin de Pâque, le messager divin annonce aux disciples qu'ils verront Jésus ressuscité en Galilée :

> Vous cherchez Jésus de Nazareth, le crucifié : il n'est pas ici. Allez dire à ses disciples et à Pierre : Il vous précède en Galilée ; c'est là que vous le verrez. (Mc **16**,6-7)

L'Évangile de Pierre (un texte daté du 2ᵉ siècle) va dans le même sens :

> Or, le dernier jour des Azymes, beaucoup de gens s'en retournèrent chez eux. Nous, les douze disciples du Seigneur, nous pleurions et nous étions affligés. Chacun, attristé par l'événement, rentra chez lui. Quant à moi, Simon-Pierre, et mon frère André, nous prîmes nos filets et nous allâmes à la mer. (Évangile de Pierre, 58-60)

Comme dans le récit de Luc, les pêcheurs peinent toute la nuit sans rien prendre. Dans le récit de Luc, la pêche miraculeuse se terminait par l'appel de Jésus :

> Désormais, ce sont des humains que vous prendrez vivants. (Lc 5,10)

Ici aussi la pêche est vécue comme un mimodrame : celui de la vocation des disciples de Jésus appelés à jeter le filet avec lui pour arracher les êtres humains aux forces du mal en les rassemblant dans la famille du Père des cieux. La nuit symbolise le monde privé de la lumière de Dieu. Les eaux profondes de la mer évoquent les forces du mal, les abîmes de la mort spirituelle. Jésus est bien *la lumière qui est venue dans le monde* (Jn 12,46) pour que ceux qui mettent en lui leur confiance ne demeurent pas dans les ténèbres. Alors que, sans Jésus, les disciples ont peiné sans rien prendre, avec lui ils vont arracher aux forces du mal, aux abîmes marins, 153 poissons.

On s'est beaucoup interrogé sur ce chiffre. Aucune des explications n'est totalement concluante. Saint Jérôme disait que les naturalistes de langue grecque avaient recensé 153 espèces de poissons. Le chiffre signifierait donc que c'est la totalité des êtres humains qui sont appelés à être rassemblés dans le règne de Dieu. Saint Augustin parvenait au même sens mais en voyant, dans le chiffre 153, la somme des nombres jusqu'au nombre premier (indivisible) 17 : 1 + 2 + 3 + 4... jusqu'à 17 = 153.

> En représentant graphiquement chaque nombre par autant de points correspondants, alignés et centrés les uns au-dessous des autres, on dessine un triangle équilatéral, dont chaque côté a une longueur de 17 points. (B. Schwank, *Assemblée du Seigneur* 24, p. 60)

Voici donc réalisée la promesse faite par Jésus lorsqu'il annonçait sa mort :

Maintenant le Prince de ce monde va être jeté dehors. Quand je serai élevé de terre, j'attirerai à moi tous les êtres humains. (Jn 12,32)

Ce sera la tâche des disciples de Jésus tout au long de l'histoire, celle de l'Église, à la suite de Jésus qui a donné sa vie « pour rassembler dans l'unité les enfants de Dieu qui sont dispersés » (Jn 11,52). Mais cette pêche, qui rassemble une multitude de poissons, peut être aussi la préfiguration de l'aboutissement de cette mission : une autre manière de raconter le Jour du Jugement dernier (*cf.* Mt 25,31ss), le grand Jour de l'inauguration de la victoire du Règne de Dieu sur le monde. Jésus a déjà comparé le règne de Dieu au filet qu'on jette en mer :

> Le Règne des cieux est semblable à un filet qu'on jette en mer et qui ramène toutes sortes de poissons. Quand il est plein, on le ramène sur le rivage, on ramasse ce qui est bon et on rejette ce qui ne vaut rien. Ainsi en sera-t-il à la fin du monde. (Mt 13,47-50)

Dans la Bible, le poisson est aussi perçu comme le signe de la vie. Dans le livre d'Ézéchiel, la source qui sort du Temple est porteuse de vie : non seulement des arbres sont florissants sur ses rives mais les poissons abondent dans ses eaux :

> Tous les êtres vivants vivront où pénétrera le torrent : le poisson y sera très abondant. (Éz 47,9)

Par ailleurs, on sait que les premiers chrétiens prendront le poisson comme signe de reconnaissance entre eux dans les temps de persécution. Le mot grec *ictus,* qui signifie poisson, est l'anagramme de *Iesus Christos Théou Uios Soter* (Jésus Christ Fils de Dieu sauveur).

Enfin, on peut sans doute donner un sens symbolique à l'ordre de Jésus de jeter le filet à *droite* de la barque. Dans la symbolique biblique la droite représente la miséricorde et la bénédiction, tandis que la gauche est le côté de la justice et du châtiment :

> Quand le Fils de l'homme viendra dans sa gloire, devant
> lui seront rassemblées toutes les nations ; il séparera les
> humains comme le berger sépare les brebis des chèvres :
> il placera les brebis à sa droite et les chèvres à sa gauche.
> (Mt **25**,31-33)

Ceux qui sont regroupés à droite sont ceux qui ont
accueilli la miséricorde de Dieu dans la mesure où ils
sont devenus eux-mêmes miséricordieux :

> J'ai eu faim et vous m'avez donné à manger... Chaque
> fois que vous l'avez fait à l'un de ces petits qui sont mes
> frères, c'est à moi que vous l'avez fait. (Mt **25**,35.40)

### Jésus vient donc, prend le pain et leur donne.

Ce deuxième tableau, le repas de Jésus avec les Sept
disciples, apparaît comme un récit quasi indépendant du récit de la pêche. C'est peut-être un récit
d'apparition de Jésus qui aura été repris et introduit
ici. Cela pourrait expliquer l'expression surprenante
« Jésus vient », une expression qui est souvent utilisée
lors des apparitions (*cf.* Jn **20**,19.26). C'est Jésus lui-
même qui a préparé le repas : le poisson est déjà sur
le feu de braise. Dans les premières peintures chrétiennes, le pain et le poisson sont les symboles du
Repas du Seigneur que nous nommons aujourd'hui
l'Eucharistie. Souvent d'ailleurs, dans ces peintures,
les convives sont au nombre de sept. Sans doute pour
signifier que le Repas de Jésus doit rassembler *toute*
l'humanité. On retrouve ici presque les mêmes termes que pour le repas des pains multipliés (*cf.* Jn **6**,11),
ou pour le repas d'Emmaüs : « Jésus prend le pain et
leur donne » (Lc **24**,29-31). Dans ces formules, le verbe
« donner » est sans complément d'objet, comme si
l'on voulait mettre l'accent sur le sujet (celui qui
donne) plus que sur l'objet donné (le pain). À travers ce geste de donner le pain, c'est en effet Jésus qui
*se* donne, qui donne sa vie.

On sait que c'est à ce signe que les compagnons d'Emmaüs vont reconnaître Jésus. Ici le texte ne fait qu'évoquer cette reconnaissance :

> Pas un des disciples n'ose le questionner : « Toi, qui es-tu ? », car ils savent que c'est le Seigneur. (v. 12)

En effet, « le disciple que Jésus aimait » a déjà reconnu son Seigneur depuis la pêche miraculeuse. Cette expression, « le disciple que Jésus aimait », est surprenante. Mais si nous traduisons disciple par son sens propre d'*appreneur*, on peut comprendre qu'il s'agit de « l'appreneur préféré de Jésus » parce qu'il est celui qui retient le mieux les leçons du Maître et les comprend en les mettant en pratique dans toute sa vie. Étant ainsi davantage à l'unisson des paroles et des gestes du Maître, il le re-connaît par la mémoire de son cœur.

Par ce geste de partager le pain, Jésus signifie qu'il accorde le pardon à ses disciples, eux qui l'ont abandonné pendant sa passion. Dans la culture biblique, partager le pain avec quelqu'un est un signe de communion. Ici, il ne s'agit donc pas seulement, pour les disciples, de reconnaître la physionomie de Jésus, mais plus profondément — par-delà leur abandon lors de l'arrestation — de *re-connaître* l'amitié qu'ils ont vécue avec leur Maître, un amour renoué qui pourra désormais les accompagner toute leur vie. C'est tout au long de l'histoire que Jésus se fera *re-connaître* par ses disciples à la fraction du pain afin de communier ensemble dans l'amour du Père des cieux.

À chaque eucharistie, Jésus est présent : il nous partage sa parole de vie qui nous nourrit, il nous lave les pieds pour nous redire son pardon d'amour :

> C'est moi qui suis le pain de vie. Celui qui vient à moi n'aura pas faim. Celui qui mangera de ce pain vivra pour l'éternité. (Jn **6**,35.58)

Si je ne te lave pas les pieds, tu ne seras pas en communion avec moi. (Jn **13**,8)

Chaque fois que les chrétiens célèbrent le Repas du Seigneur, ils rappellent que Jésus est vivant, qu'il s'est relevé de la mort et qu'il est ainsi porteur de vie et de pardon pour tous ceux qui le suivent. Chaque fois, c'est Jésus Seigneur qui prend le pain et donne, c'est Jésus qui se donne.

### Simon, fils de Jean, m'aimes-tu plus que ceux-ci ?

Troisième tableau : cette re-connaissance dans la communion va prendre un aspect plus marquant pour Simon-Pierre. Lors de la comparution de Jésus devant le Sanhédrin, Pierre a nié par trois fois connaître Jésus. Ici il va lui être demandé un triple aveu de son amour.

Faut-il voir dans les différences de verbes employés un sens particulier ? Jésus, par deux fois, emploie le verbe *agapao* qui signifie l'amour gratuit alors que Pierre répond par le verbe *philéo* qui signifie l'amitié. La troisième fois, c'est le verbe *philéo* qui est utilisé par Jésus et par Pierre. Pierre ne veut peut-être pas évaluer la gratuité et la fidélité de son amour, mais dire seulement que son attachement à Jésus demeure, malgré son péché.

Cependant, la demande de Jésus peut paraître un peu surprenante. Pourquoi demande-t-il à Pierre s'il l'aime *plus que ceux-ci* ? Jésus ne nous a-t-il pas invités à ne pas juger les autres ? Lorsque les Douze se querellent pour savoir qui est le plus grand parmi eux, Jésus ne répond-il pas que « le premier doit être le dernier et le serviteur de tous » (Mc **9**,34) ? Pierre devrait-il dire comme le Pharisien : « Je te rends grâces de n'être pas comme ceux-là qui sont infidèles, qui t'ont abandonné » ? Mais Jésus ne veut-il pas lui rappeler qu'il s'est comparé autrefois à ses co-disciples :

Même si tous tombent à cause de toi, moi je ne tombe-
rai jamais. (Mt 26,33)

On peut aussi comprendre cette question de Jésus
à la lumière de la parabole des deux serviteurs qui ont
des dettes insolvables. « Lequel des deux aimera *le plus*
son maître? », demandait Jésus.

Je pense que c'est celui auquel il a fait grâce de la plus
grande dette. (Lc 7,42)

Jésus dira aussi de la pécheresse qui vient lui par-
fumer les cheveux :

Si je te déclare que ses péchés si nombreux ont été par-
donnés, c'est parce qu'elle montre beaucoup d'amour.
(Lc 7,43.47)

Ainsi Jésus veut que Pierre prenne conscience qu'il
a été pardonné de son reniement. Il en prendra
conscience en confessant son amour. Conscient de
son infidélité, Pierre n'osera d'ailleurs pas affirmer
qu'il aime Jésus, mais il s'en remet à la connaissance
que Jésus a de son amitié pour lui : « Toi qui sais tout,
tu sais mon amitié pour toi. »

Pierre n'est-il pas ici le modèle de tout chrétien qui
peut faire sans cesse cette demande à son Maître?
« Seigneur Jésus, je t'aime mais viens en aide à mon
pauvre amour ! Toi seul peux me faire passer de
l'amour d'amitié et de tendresse — souvent infidèle
— à l'amour gratuit, qui vient du plus profond du
cœur, de la volonté, et qui puise en Dieu sa fidélité. »
Cet amour gratuit est en effet celui que Jésus réclame
de son disciple, un amour qui dépasse les affections
spontanées, les sympathies, les liens du sang :

Qui aime son père ou sa mère plus que moi n'est pas
digne de moi. (Mt 10,37)

### Jésus se manifeste à ses disciples.

Le verbe *manifester* est inhabituel pour dire l'apparition du Ressuscité. On emploie plus fréquemment l'expression : *il se fait voir*. Le verbe grec signifie qu'une réalité se dégage de l'ombre pour venir en pleine lumière. Lors du miracle des noces de Cana, le verbe traduit que Jésus *manifeste* sa gloire. Le verbe est peut-être employé ici pour souligner qu'à travers la pêche miraculeuse, le Ressuscité va manifester sa gloire de fils unique de Dieu, c'est-à-dire la puissance de son amour pour les êtres humains. Comment se fera cette manifestation ? Ici, les disciples sont sept. On sait que ce chiffre est le symbole de la totalité. Il est utilisé dans les récits du deuxième repas des pains multipliés (*cf.* Mc **8**,1 et ss), qui veulent décrire que le Repas du Seigneur rassemblera des gens de tous les peuples, et pas seulement des gens du peuple juif. Dans la première communauté de Jérusalem, on choisira aussi sept diacres pour servir les chrétiens qui ne sont pas d'origine juive :

> En ces jours-là, le nombre des disciples augmentait et les Hellénistes se mirent à récriminer contre les Hébreux parce que leurs veuves étaient oubliées dans le service quotidien. Les Douze convoquèrent alors l'assemblée plénière des disciples et dirent : « Il ne convient pas que nous délaissions la parole de Dieu pour le service des tables. Cherchez plutôt parmi vous, frères, sept hommes de bonne réputation, remplis d'Esprit et de sagesse, et nous les chargerons de cette fonction. » On choisit Étienne, un homme plein de foi et d'Esprit Saint, Philippe, Prochore, Nicanor, Timon, Parménas et Nicolas, prosélyte d'Antioche. (Ac **6**,1-6)

### Fais paître mon troupeau !

Jésus avait dit à Pierre : « Quand tu seras revenu, affermis tes frères. » (Lc **22**,32). Ici, il lui confie de continuer sa propre mission de pasteur. Le pasteur est celui qui

nourrit son troupeau en le menant sur les terres nour-
rissantes. Pasteur, pâturages, repas ont la même origine, la racine *pa :* ce qui nourrit. Il est demandé à
Pierre de veiller à rompre le pain de la Parole à ses
frères pour nourrir leur foi. Mais le bon pasteur est
aussi celui qui donne et *se* donne :

> Je suis le bon pasteur, je connais mes brebis et mes bre-
> bis me connaissent... et je me dessaisis de ma vie pour les
> brebis. (Jn 10,15)

Jésus rappelle à Pierre que sa mission de pasteur le
conduira aussi au don de sa vie : « Un autre t'entraînera là où tu ne veux pas » (v.18). Le rédacteur de
l'évangile explique que Jésus indique ainsi *par quelle
mort Pierre glorifiera Dieu.*

L'histoire nous dit que Pierre sera martyrisé à
Rome en l'an 64 et qu'il a probablement été crucifié.
C'est peut-être à cette crucifixion que fait allusion le
fait d'étendre les bras. En effet, dans les textes chrétiens anciens, *étendre les bras* est une expression qui
est utilisée pour dire *être crucifié.* La première lettre
de Jean étend d'ailleurs à tout chrétien l'exigence de se
donner jusqu'au don de sa vie :

> Jésus a donné sa vie pour nous, nous aussi nous devons
> donner notre vie pour nos frères. (1Jn 3,16)

Cet amour qui est demandé n'est pas seulement
celui de l'amitié humaine mais celui qui vient de Dieu :
l'agapé, comme le dit encore la lettre de Jean :

> Mes biens aimés, aimons-nous les uns les autres :
> l'amour vient de Dieu et celui qui aime est né de Dieu.
> (1Jn 4,7)

Si cette exigence de livrer sa vie est demandée à
tout disciple, *a fortiori* est-elle inscrite dans la vocation du pasteur.

Voilà donc, en finale du récit de Jean, un triptyque
qui décrit l'avenir de l'assemblée des disciples de Jésus :

ils ont mission d'être des rassembleurs, des bâtisseurs de communion dans le monde; ils se retrouvent à la table du Seigneur pour se nourrir de sa Parole et de son amour; ils ont, au sein de leur communauté, des pasteurs qui veillent à rompre le Pain du Christ. Cela ne peut se faire sans que chaque disciple se situe face à Jésus, en passant de l'état de serviteur à celui d'ami:

> Je ne vous appelle plus serviteurs, car le serviteur reste dans l'ignorance de ce que fait son maître; je vous appelle amis, parce que tout ce que j'ai entendu auprès de mon Père, je vous l'ai fait connaître. (Jn **15**,15)

Vivre en disciple du Christ, c'est lier avec Jésus une amitié forte et passionnée.

La qualité de notre amitié avec Jésus passera par la qualité de notre amour pour le prochain: on ne peut aimer Jésus en vérité qu'en aimant de bonté généreuse son prochain:

> Si quelqu'un dit: «J'aime Dieu», et qu'il haïsse son frère, c'est un menteur. En effet, celui qui n'aime pas son frère qu'il voit, ne peut pas aimer Dieu qu'il ne voit pas. (1Jn **4**,20)

Et on ne peut aimer de bonté généreuse qu'en puisant en Jésus la force de cet amour. Au 5ᵉ siècle, saint Augustin disait déjà cela à ses diocésains:

> Aimons-le donc, que rien ne nous soit plus cher que lui. Pierre ne lui dit rien d'autre que son amour. Le Seigneur ne lui demande rien d'autre que cet amour. Pensez-vous que le Seigneur ne nous interpelle pas? Pierre seul a-t-il mérité d'être interpellé, pas nous? À la lecture de ce texte, chaque chrétien se sent interpellé en son cœur, et quand tu entends le Maître demander: Pierre, m'aimes-tu? pense qu'il est un miroir, et regarde-toi dedans. Pierre portait-il autre chose que la figure de l'Église? Lorsque le Seigneur interpelle Pierre, c'est nous qu'il interpelle, c'est l'Église qu'il interpelle. (cité dans *Lectures pour chaque jour de l'année*, Cerf 1974, p. 246)

\*

\*    \*

*Au milieu des souffrances de ce monde,*
*isolés dans nos tours d'ivoire,*
*nous risquons de ne plus te voir.*
*Ta présence au milieu de nous*
*se manifeste quand nous partageons le pain.*
*Apprends-nous à nourrir le jardin de la terre :*
*hommes et femmes innombrables,*
*différents mais appelés à aimer.*
*Que nos communautés deviennent signes*
*du pain et du vin partagés.*
*Que le silence amoureux de ta présence absente*
*devienne notre force pour rassembler*
*sous le toit de l'amour tous les humains. Amen !*

## QUESTIONS DE COMPRÉHENSION ET D'APPROPRIATION

1. À quel moment de la vie de Jésus se situe cet épisode ?
2. Quel peut être le sens symbolique du chiffre 153 ?
3. Quelle est la signification de ce partage du repas pour les disciples qui ont abandonné Jésus lors de son arrestation ?
4. Comment comprendre la triple demande de Jésus à Pierre ?
5. Quel est le sens symbolique du chiffre 7 ?
6. Quel est le sens du mot pasteur ?
7. Que peut signifier pour l'Église d'aujourd'hui la pêche miraculeuse ?
8. À qui s'applique aujourd'hui la demande de Jésus à Pierre de paître le troupeau ?

## ÉVANGILE DE JÉSUS
### selon l'écrit de Jean

Les Judéens disent [à Jésus] : « Jusqu'à quand vas-tu nous tenir en suspens? Si tu es le messie, dis-le-nous clairement. »

Jésus leur répond : « Je vous l'ai dit et vous ne croyez pas. Les actes que je fais au nom de mon Père, ce sont eux qui témoignent de moi. Mais vous ne croyez pas parce que vous n'êtes pas de mon troupeau. Ceux de mon troupeau écoutent ma voix et moi je les connais et ils marchent à ma suite. Et moi je leur donne la vie du temps à venir. Jamais ils ne se perdront pour le temps à venir et personne ne les arrachera de ma main. Mon Père, qui me les a donnés, est plus grand que tous et personne ne peut arracher de la main de mon Père. Moi et le Père, nous sommes Un. »

Alors les Judéens ramassent des pierres pour le lapider.

Nous sommes probablement dans les dernières semaines du ministère de Jésus. Celui-ci s'affronte de plus en plus à l'hostilité de l'élite religieuse de Jérusalem. Au chapitre 7, le récit nous indique déjà l'hésitation de Jésus à monter à Jérusalem.

[Jésus] ne voulait pas circuler en Judée parce que les Juifs cherchaient une occasion de le tuer. (Jn 7,1)

Le récit situe cela à quelques jours de la fête des Tentes, soit vers la fin de septembre. Jésus se décidera finalement à monter à Jérusalem, mais discrètement (*cf.* Jn 7,10). Parmi les pèlerins, beaucoup le cherchent. On parle de lui, mais en secret par peur des autorités. Puis, au milieu de la fête, Jésus vient enseigner dans les parvis du Temple (*cf.* Jn 7,14). Devant le succès de son enseignement auprès des foules, les grands-prêtres envoient des gardes pour l'arrêter (*cf.* Jn 7,32). Ceux-ci reviendront sans Jésus : « Jamais homme n'a parlé comme cet homme », déclarent-ils (Jn 7,46).

Dans le Temple, sans cesse les discussions tournent autour de l'identité de Jésus. La question qui revient toujours est : « Qui es-tu ? » (*cf.* Jn 8,25). Les pèlerins et les gens de Jérusalem se demandent s'il est possible que cet homme soit le messie. (*cf.* Jn 7,27) D'où lui vient tout ce qu'il sait, lui qui n'a pas étudié ? (*cf.* Jn 7,15). Les miracles qu'il fait ne prouvent-ils pas qu'il est le messie ? (*cf.* Jn 7,31)

Jésus répond en se situant par rapport à Dieu :

L'enseignement que je donne n'est pas de moi mais de Celui qui m'a envoyé. (Jn 7,16)

Je ne suis pas venu de moi-même et Celui qui m'a envoyé est la Vérité. (Jn 7,28)

Celui qui m'a envoyé est avec moi. (Jn 8,16)

Vous ne connaissez ni moi ni mon Père. Si vous me connaissiez, vous connaîtriez aussi mon Père. (Jn 8,19)

J'annonce ce que j'ai vu auprès de mon Père. (Jn 8,38)

Si Dieu était votre Père vous m'aimeriez, car c'est de Dieu que je suis sorti. (Jn 8,42)

Comment se situer par rapport à de telles réponses ? Ou bien cet homme dit vrai et alors il est essentiel de l'accueillir et de l'écouter puisque c'est Dieu lui-même qui parle par sa bouche. Ou bien cet homme divague et n'est pas sain d'esprit et les responsables religieux ont le devoir de le discréditer auprès des foules. Ils iront jusqu'à le traiter de Samaritain (c'est-à-dire d'hérétique) et même de possédé du démon (*cf.* Jn 8,48 ; 10,20). À plusieurs reprises, on veut le saisir et même le lyncher (*cf.* Jn 7,30.44 ; 8,59).

Le chapitre 9 met en scène ceux qui vont accueillir Jésus comme messie — qui sont symbolisés par l'aveugle qui va recevoir la vue — et ceux qui vont le refuser — qui sont identifiés par les Pharisiens. Le début du chapitre 10 reprend cette description sous l'image du pasteur qu'est Jésus, un pasteur qui est suivi par les brebis qui sont de son troupeau. Les Judéens qui vont écouter Jésus dans le Temple lors de la fête de la Dédicace vont à nouveau poser clairement la question qui sous-tend tous ces chapitres :

> Jusqu'à quand tiendras-tu notre haleine en suspens ? Si tu es le messie, dis-le-nous ouvertement. (Jn **10**,24)

Ces échanges entre Jésus et ses adversaires ressemblent déjà à celui qu'il aura avec le grand-prêtre, lors de sa comparution devant le Sanhédrin. Dans les récits synoptiques, c'est en effet la même question :

> Par le Dieu vivant, je t'ordonne de nous dire si tu es, toi, le messie, le fils de Dieu. (Mt **26**, 63)

Il nous faudra approfondir la réponse de Jésus. Mais, auparavant, reprenons conscience de l'importance que cette question avait pour ses contemporains. Le messie est en effet le sujet d'une attente très grande de la part des foules. Le pays est occupé depuis bientôt cent ans. Les pauvres sont nombreux à souffrir de la faim. Les nationalistes fervents supportent de moins en moins l'absence de liberté ainsi que toutes les humiliations que l'occupation romaine entraîne. Par contre les autorités en place — qui collaborent plus ou moins avec les Romains — craignent très fort tout soulèvement populaire. Celui-ci provoquerait la réaction immédiate de Rome : l'écrasement du soulèvement et une répression plus grande, voire même l'abolition des quelques privilèges que le pouvoir accorde aux grands-prêtres.

### Si tu es le messie, dis-le-nous clairement.

Qu'est-ce que le messie ? À l'époque de Jésus, il est attendu comme l'homme que Dieu va choisir et consacrer pour diriger son peuple en son Nom. Il est vu comme le roi vicaire, *lieu-tenant* du seul vrai Roi qui est Dieu. Il pourrait être aussi un grand-prêtre puisqu'alors les grands-prêtres ont gardé un certain pouvoir que les Romains ont accepté de leur concéder, même si — en Judée — le pouvoir politique est exercé directement par un délégué de l'Empereur : Pilate, un romain. Le mot juif *messiah* (qui est francisé en messie) veut dire être oint, « consacré par l'onction ». En langue grecque, *messiah* se traduit *christ*. Quel qu'il soit, roi ou grand-prêtre, ce messie a donc une mission particulière : libérer le peuple de Dieu.

Dans le cadre de l'occupation du pays par Rome, il semble bien difficile que ce chef consacré puisse exercer son pouvoir librement. Il ne pourra être un chef politique, un roi, sans être nommé par Rome. S'affirmer roi-messie, ce serait inévitablement contester le pouvoir de l'occupant et donc entreprendre la lutte armée pour la libération. La question posée à Jésus est donc une sorte de piège. Ou bien il affirme clairement sa mission de messie et déclenche un processus politique de libération, ou bien il nie être le messie et il perd alors la confiance que les foules mettent en lui. C'est peut-être le caractère épineux de cette situation qui explique la réponse de Jésus :

> Les actions que je fais au nom de mon Père témoignent à mon sujet. (Jn **10**,25)

Ces actions, le récit de Jean vient d'en relater quelques-unes : Jésus a guéri de nombreux malades : il libère de la paralysie (*cf*. Jn **5**,8-9), il libère de la cécité un aveugle de naissance (*cf*. Jn **9**,11), mais il guérit aussi les cœurs : il libère de la condamnation à mort la femme adultère (*cf*. Jn **8**,11). En Luc, dans la synagogue de Nazareth, c'est en des termes semblables que Jésus s'était présenté comme le messie :

L'Esprit du Seigneur-Dieu est sur moi. Il m'a fait messie par l'onction pour annoncer l'Évangile aux pauvres : il m'envoie proclamer la liberté aux captifs et le retour à la vue aux aveugles. (Lc 4,18)

### Mais vous ne croyez pas parce que vous n'êtes pas de mon troupeau.

Les actions de guérison et de libération opérées par Jésus sont donc celles d'un roi-messie agissant au nom de Dieu. Pour éviter l'image — trop facilement guerrière — de roi, Jésus choisit une autre image : celle du pasteur. Dans la Bible, le titre de pasteur était d'abord attribué à Dieu. Relisons quelques passages bibliques :

Tel un pasteur [le Seigneur-Dieu] fait paître son troupeau ; de son bras il rassemble les agneaux ; il les porte sur son sein ; il procure de la fraîcheur aux brebis qui allaitent. (Is 40,10-11)

Parole du Seigneur-Dieu : « Moi-même je ferai paître mon troupeau. La bête perdue, je la chercherai ; celle qui se sera égarée, je la ferai revenir ; celle qui aura une patte cassée, je lui ferai un bandage ; la malade, je la fortifierai ». (Éz 34,15-16)

Le Seigneur-Dieu est mon pasteur, je ne manque de rien. Sur de frais pâturages il me fait reposer. Il me mène près des eaux tranquilles et me fait revivre. Si je traverse des ravins de mort, je ne crains aucun mal. (Ps 22,1-4)

Mener paître, c'est trouver la nourriture pour son troupeau. Jésus a apporté la parole de vie qui vient de Dieu, parole nourrissante pour la vie spirituelle :

C'est moi qui suis le pain de vie. Celui qui vient à moi n'aura plus jamais faim. (Jn 6,35)

Les chefs, les rois d'Israël se sont vus donner ce titre de pasteur.

[Dieu] choisit David son serviteur pour en faire le pasteur de son peuple : pasteur au cœur irréprochable, il les guide d'une main sage. (Ps 78,70-72)

Mais les chefs ne sont pas toujours de bons bergers qui nourrissent le troupeau. C'est pourquoi les prophètes le leur disent souvent très vertement :

> Malheur aux pasteurs d'Israël qui se paissent eux-mêmes ! N'est-ce pas le troupeau que les pasteurs doivent paître ? Vous n'avez pas fortifié les bêtes chétives, vous n'avez pas guéri la malade, vous n'avez pas ramené l'égarée... vous avez exercé votre autorité par la violence et l'oppression. (Éz 34,4-5)

Les récits évangéliques présentent Jésus comme étant le véritable bon pasteur.

> [Jésus] fut pris d'une grande miséricorde pour eux car ils étaient comme des brebis sans pasteur ; et il se mit à les enseigner. (Mc 6,34)

À ceux qui lui reprochent de bien accueillir les pécheurs et de manger à leur table, Jésus répond en se comparant à un pasteur qui laisse les 99 brebis de son troupeau pour aller à la recherche de la brebis perdue (cf. Lc 15,3-7). Et lorsque ses adversaires contestent sa prétention à être le pasteur consacré par Dieu, le messie, Jésus va répondre en montrant que ceux qui l'écoutent et qui l'accueillent sont ceux qui sont véritablement en communion avec le Père.

### Ceux de mon troupeau écoutent ma voix et moi je les connais et ils marchent à ma suite.

Écouter, dans la Bible, signifie davantage que le simple fait d'entendre. C'est accueillir la Parole en sa vie jusqu'à mettre en pratique ce qu'elle signifie. Jésus va expliquer pourquoi certains accueillent sa Parole et d'autres la refusent :

> Celui qui est de Dieu écoute les paroles de Dieu. La raison pour laquelle vous ne les écoutez pas, c'est que vous n'êtes pas de Dieu. (Jn 8,47)

Ceux qui refusent Jésus comme pasteur le font parce qu'ils ne vivent pas en communion avec Dieu.

La comparaison se fait aisément avec l'image des brebis. Dans la Palestine de ce temps, les bergers rassemblent chaque soir les troupeaux dans les enclos des villages. Ces enclos sont gardés par crainte des voleurs. Au matin, les bergers viennent chercher leurs brebis. Ils se présentent à la porte de l'enclos et appellent les bêtes de leur troupeau. Chacune a un nom car le berger connaît ses brebis. Et chaque brebis connaît la voix de son berger.

Rappelons ici le sens qu'a le mot « connaître » dans la langue juive. Il s'agit d'une connaissance d'amour, d'une communion profonde entre deux êtres. On utilise ce mot pour désigner l'union sexuelle entre deux époux. C'est à cause de cette connaissance d'amour que le troupeau va suivre son pasteur vers les pâturages. Il ne suivra pas un pasteur qui n'est pas *son* pasteur.

Le verbe « suivre » est celui qu'on emploie pour désigner un disciple : le disciple est celui qui se met à la suite d'un maître : « Suis-moi », a dit Jésus à Matthieu (Mt 9,9), à Philippe (Jn 1,43), à Pierre et André (Mt 4,19). Si le pasteur est un bon pasteur qui aime ses bêtes, celles-ci marchent avec confiance derrrière lui : elles le suivent. Cette image décrit la relation que Jésus veut avoir avec ses disciples. Mais il ne dit pas seulement que ses brebis connaissent sa voix, mais qu'elles reconnaissent, en sa voix, la voix même de Dieu. Ses disciples sont ceux qui connaissent Dieu et qui reconnaissent, dans sa voix, dans ses paroles, son enseignement, la voix même de Dieu le Père.

Or quelle est la voix de Dieu ? Celle qui jaillit de la miséricorde : envers le paralytique et l'aveugle qu'il faut guérir même un jour de sabbat ; envers tous ceux qui souffrent de ne pas avoir une vraie vie spirituelle et qu'il faut nourrir de paroles qui sont vie et esprit (*cf.* Jn 6,63) ; envers la femme condamnée pour adultère et à qui il faut redonner confiance en l'amour vrai.

Ceux qui ne reconnaissent pas la voix de la miséricorde, parce qu'ils font passer la justice et l'observance
aveugle des lois avant la bonté et le pardon, ceux-là
ne peuvent se laisser engendrer par le Dieu qui n'est
qu'amour. Seuls ceux qui vivent sur la longueur
d'onde de l'amour peuvent reconnaître que l'enseignement de Jésus vient de Dieu. On pourrait
reprendre ici le proverbe :

> Les oiseaux ont besoin d'air pour voler. Les poissons ont
> besoin d'eau pour nager. Dieu ne se meut que dans
> l'amour.

Ainsi qui n'aime pas de gratuité totale son prochain, celui-là n'est pas de Dieu, ne connaît pas Dieu :

> Aimons-nous de bonté les uns les autres car l'amour de
> bonté vient de Dieu et celui qui aime de bonté est en-
> gendré de Dieu et parvient à la connaissance de Dieu.
> (1 Jn 4,7)

Pour connaître Dieu ainsi, il faut en effet se laisser
engendrer par Lui : c'est-à-dire laisser sa parole péné-
trer notre mémoire profonde, notre « code génétique
spirituel », pour que cette parole devienne la mémoire
qui nous fait agir, pour qu'elle façonne, *in-forme* l'esprit qui va animer notre vie quotidienne. Si le Dieu
Tout-Aimant est vraiment devenu notre Père spirituel, alors nous reconnaîtrons en Jésus son Envoyé.
Pour cela, il faut être à l'écoute de cette voix intérieure
qui est celle de la bonté généreuse et du pardon.

### Et moi je leur donne la vie du temps à venir.

Là encore, la comparaison avec le bon pasteur vient
éclairer la mission de Jésus comme messie.

> Le bon pasteur donne sa vie pour ses brebis... Le merce-
> naire à qui les brebis n'appartiennent pas, abandonne
> les brebis et s'enfuit quand il voit venir le loup. Le loup
> s'empare des brebis et les disperse. (Jn 10,11-12)

Celui qui n'est pas le pasteur consacré par Dieu, celui-là n'a pas le souci de l'unité et de la communion. Peu lui importe les divisions, les conflits qui détruisent la paix et étouffent la vraie vie. Peu lui importe que ces divisions rendent les gens malades de solitude, d'insécurité, de haine. *Le voleur ne vient que pour voler, égorger et détruire,* tandis que le fils du Père vient pour *donner la vie en plénitude* (*cf.* Jn **10**,10-11). Jésus peut aller jusqu'à dire :

Si quelqu'un garde ma parole, il ne verra jamais la mort. (Jn **8**,42)

L'enseignement de Jésus conduit à la vie véritable parce qu'il est apprentissage de l'amour. Au-delà de l'*éros* et même de l'amitié, l'amour enseigné par Jésus est celui qui est pure gratuité, amour qui met « son plaisir et sa joie à désirer, à vouloir que quelqu'un d'autre soit » et qu'il soit, lui aussi, aimant de gratuité. Un tel amour est fort contre toutes les forces d'égoïsme, de jalousie, de doute et d'insécurité, ces forces qui nous assaillent quotidiennement et qui nous conduisent à réduire nos relations humaines à la domination, à la possession, à la jouissance de l'autre. Celui qui se met dans la main de Dieu, l'Aimant éternel, pour aimer comme Lui, celui-là fait confiance à Dieu pour la vie du temps à venir, l'immortelle vie.

### Personne ne les arrachera de ma main... Personne ne peut arracher de la main du Père.

La main de Dieu est celle qui bénit, guérit, relève. Voilà ce que signifie être sauvé : c'est vivre d'un amour qui est vie d'éternité parce qu'on vit dans la communion de Dieu-Père. Cet amour qui est éternel est celui de la bonté généreuse, inconditionnelle. Jésus se présente ici comme la main du Père. Le Père et lui ne font qu'un pour sauver, pour arracher de la mort spirituelle.

Pour être ainsi « sauvé » par le Père et par Jésus, il
ne suffit pas de connaître Dieu d'une façon intellec-
tuelle ni de mener une vie conforme aux règles de la
droiture ; il faut vivre avec le Père et Jésus une intense
communion d'amour qui ne peut être que le fruit de la
prière. Un moine de l'église d'Orient exprime bien cela :

> De beaucoup qui croyaient tout ce qu'il faut croire et qui
> menaient une vie juste et pieuse, nous pouvons nous
> demander : cette âme connaissait-elle le Sauveur ? Le
> connaissait-elle d'une manière intime, comme on peut
> connaître son ami le plus proche, comme peuvent se
> connaître un homme et une femme qui s'aiment, comme
> seul peut être connu celui qui nous est plus intérieur que
> nous-mêmes ? Une somme de connaissance acquise et
> d'ailleurs vraie au sujet du Sauveur se substitue souvent
> à la connaissance personnelle et profonde du Sauveur.
> Elle peut s'interposer comme un écran entre Jésus et nous.
> (*Lectures pour chaque jour de l'année*, Cerf 1974, p. 255)

Cette connaissance à laquelle nous invite Jésus est
celle de l'amitié la plus forte :

> « Je vous appelle amis ! » (Jn 15,14)

L'image du pasteur est reprise par l'image de l'amitié : la relation du pasteur et des brebis est la relation
de Jésus devenant l'ami de chacun de ses disciples.
Cette amitié est forte car elle a sa source, son inspira-
tion dans l'amour même du Père :

> Père, qu'ils soient un comme nous sommes un. (Jn 17,11)

C'est une telle intimité avec Jésus qui permettra à
l'apôtre Paul d'avoir une assurance indéfectible :

> Oui j'en ai l'assurance : ni la mort ni la vie, ... ni le présent
> ni l'avenir, ... ni les forces des hauteurs ni celles des profon-
> deurs, ... rien ne pourra nous séparer de l'amour de Dieu
> manifesté en Jésus Christ notre Seigneur. (Rm 8,38-39)

Le Père Congar, un des grands théologiens du
concile Vatican II, traduisait combien cette amitié était
l'essentiel de sa vie, un essentiel qui allait au-delà de
toutes ses connaissances théologiques :

S'il s'agit de ma vie telle que j'essaie de la mener au milieu des hommes, alors c'est Jésus Christ qui en est la lumière, la chaleur et, par son saint Esprit, le mouvement. Chaque jour il m'interpelle. Chaque jour il m'empêche de m'arrêter : son Évangile et son exemple m'arrachent à la tendance instinctive qui me retiendrait lié à moi-même, à mes habitudes, à mon égoïsme. Je lui demande de me faire cette miséricorde de ne pas me laisser à moi-même, lié à ma tranquillité égoïste. » (*Pour vous qui est Jésus Christ ?*, Cerf 1970, p. 97)

À la veille de sa mort, Jésus redira, dans sa prière, toute l'intensité de cette communion à laquelle il invite ses disciples :

Qu'ils soient un : tout comme toi, Père, tu es en moi et moi en toi, qu'eux aussi soient un en nous. (Jn **17**,21)

À chacun de ses disciples, comme à Simon-Pierre, Jésus redit après chaque éloignement : « M'aimes-tu ? » À chacun, chacune de ses disciples, Jésus manifeste sa tendresse en lui lavant les pieds. À chacune et chacun, Jésus redit avec joie : « Je ne t'appelle plus serviteur, mais ami » car je t'ai fait connaître tout ce que j'ai écouté de mon Père. Avec Jésus, notre amour mutuel se bâtira dans la communion de la mise en pratique de la pensée du Père (Jn **15**,14-15).

Est-ce que je te connais vraiment, Seigneur Jésus ? ou est-ce que je connais seulement ce que j'ai lu sur toi, ce que j'ai entendu dire de toi ? Est-ce que ta parole est devenue — dans le cœur à cœur de la prière — la parole secrète de l'ami à l'ami, ma nourriture quotidienne, celle qui fait vivre de Dieu ? Est-ce que je sais d'expérience que tu as donné ta vie pour moi, toi qui as dit qu'il n'y a pas de plus grand amour que de donner sa vie pour ceux qu'on aime ? (Jn **15**,13) Puisque ce don de toi est force de pardon et de guérison, ne permets pas que jamais je ne sois séparé de toi ! Oh oui, que tu sois toujours pour moi : mon frère, mon ami, mon Seigneur. (*Lectures pour chaque jour de l'année*, Cerf 1974, p. 255)

*

\* \*

*Au jardin de l'olivier*
*tu as prié pour que ton Père éloigne*
*la coupe de la croix.*
*Mais au plus profond de toi,*
*c'est la plénitude de l'amour*
*qui guidait tes pas.*
*Apprends-nous à vivre cet amour*
*qui nous unit au Père.*
*Qu'au moment où l'on est appelé au don de soi,*
*nous ne sachions plus que dire :*
*« Que ta volonté d'amour, Père,*
*s'accomplisse en nous. »*
*C'est le chemin du bonheur. Amen !*

## QUESTIONS DE COMPRÉHENSION ET D'APPROPRIATION

1. À quel moment de la vie de Jésus se situe cet épisode ?
2. Quelle était alors l'attente des foules juives ?
3. Qu'est-ce qu'on attendait du messie ?
4. Dans l'histoire du peuple juif, qui sont les pasteurs dont parlent les prophètes ?
5. À quel modèle de pasteur Jésus se réfère-t-il ?
6. Quel est le sens du mot « connaître » dans la Bible ?
7. Comment faut-il vivre pour « connaître » Dieu ?
8. Jésus offre son amitié à ses disciples. Comment puis-je devenir un ami de Jésus aujourd'hui ?
9. Suivre Jésus comme une brebis, est-ce abandonner sa liberté ?
10. « Moi et le Père, nous sommes Un. » Comment cette affirmation pouvait-elle être comprise des contemporains de Jésus ? Cette déclaration de Jésus s'appuie sur l'image du pasteur et de ses brebis. Que signifiait cette image aux oreilles des compatriotes de Jésus ? Quel sens pouvons-nous lui donner aujourd'hui ?

# 5ᵉ dimanche de Pâques
## Jean 13,31-35

### ÉVANGILE DE JÉSUS
selon l'écrit de Jean

Alors, quand [Judas] sort, Jésus dit : « Maintenant le Fils de l'homme est glorifié et Dieu est glorifié en lui. Si Dieu est glorifié en lui, Dieu le glorifiera en lui-même et voici qu'Il va le glorifier. Petits enfants, encore un peu [de temps] je suis avec vous. Vous me chercherez. De même que j'ai dit aux Judéens : Là où moi je vais, vous, vous ne pouvez pas venir, à vous aussi je le dis maintenant.

Je vous donne un précepte nouveau : aimez-vous de bonté les uns les autres comme je vous ai aimés de bonté pour que vous vous aimiez de bonté les uns les autres. En cela tous connaîtront que vous êtes mes disciples : si vous avez un amour de bonté les uns pour les autres.

Voilà des paroles qui ont souvent permis de réduire le christianisme au slogan de l'amour du prochain. Il n'est certes pas faux de dire que l'amour du prochain est inscrit dans l'être chrétien, mais il faut aussi préciser de quel amour on parle.

Notre récit se situe dans le prolongement du lavement des pieds, lors du dernier repas de Jésus. On peut le décrire comme un premier discours d'adieu (jusqu'au verset 31 du chapitre 14). L'appellation « Petits enfants » employée ici par Jésus est fréquente dans les récits où un patriarche mourant fait ses dernières recommandations à ses enfants. Pourtant le monologue de Jésus sera plusieurs fois interrompu par des questions de ses disciples, ce qui est inhabituel dans le style des discours d'adieu. Habituellement, les enfants ne posent pas de questions à leur père mourant.

### *Alors, quand Judas sort, Jésus dit :*
### *« Maintenant le Fils de l'homme est glorifié. »*

Quel lien peut-il y avoir entre cette sortie de Judas et la glorification du Fils de l'homme ? Pour cela, tentons de mieux cerner le sens des mots employés ici : glorification et Fils de l'homme.

Il semble bien que ce soit Jésus lui-même qui ait choisi de s'appeler le « Fils de l'homme ». L'expression se trouve dans le livre de Daniel où un fils de l'homme vient sur les nuées des cieux recevoir de Dieu gloire et royauté :

> Je regardais dans les visions de la nuit et voici que sur les nuées des cieux venait comme un Fils d'homme. ... Il lui fut donné souveraineté et gloire et royauté : les gens de tous peuples, nations et langues le servaient. (Dn 7,13-14)

Il y a d'autres passages du récit évangélique de Jean où l'on trouve l'expression « Fils de l'homme ». Évoquons quelques-uns d'entre eux :

> Vous verrez les cieux ouverts et les anges de Dieu monter et descendre au-dessus du Fils de l'homme. (Jn 1,51)

> Il faut que le Fils de l'homme soit élevé pour que celui qui croit en lui ait la vie éternelle. (Jn 3,14)

> Quand vous aurez élevé le Fils de l'homme, vous connaîtrez que Je suis. (Jn 8,28)

> Elle est venue l'heure où le Fils de l'homme doit être glorifié. (Jn 12,34)

Dans les récits synoptiques, cette affirmation du Fils de l'homme dans la gloire de Dieu servira de motif à la condamnation à mort de Jésus :

> Le grand-prêtre interrogeait Jésus : « Es-tu le messie, le fils du Béni ? » Jésus dit : « Je le suis. Et vous verrez le Fils de l'homme siégeant à la droite du Tout-puissant et venant sur les nuées des cieux. » Le grand-prêtre déchira ses vêtements : « Vous avez entendu le blasphème ! » Tous le condamnèrent comme méritant la mort. (Mc 14,61-64)

Ce sera aussi sur cette affirmation faite devant le Sanhédrin qu'Étienne sera lapidé :

> [Étienne], rempli d'Esprit saint, fixa le ciel : il vit la gloire de Dieu et Jésus debout à la droite de Dieu. Il dit : « Voici que je contemple les cieux ouverts et le Fils de l'homme debout à la droite de Dieu. » Ils poussèrent alors de grands cris ... et l'entraînèrent hors de la ville pour le lapider. (Ac 7,56-57)

Tous ces textes manifestent bien le lien très fort entre le Fils de l'homme et Dieu. Le récit de Jean traduit cela d'une façon explicite :

> Nous te lapidons pour un blasphème, parce que toi, un homme, tu te fais Dieu. (Jn 10,33)

La gloire de Dieu et celle de Jésus, Fils de l'homme, sont donc étroitement associées. Mais que signifie, dans le langage biblique, la gloire ? Le mot hébreu qu'on traduit gloire est *kabod* dont la racine évoque l'idée de poids. Il s'agit de tout le poids de la présence de quelqu'un, qui se traduit par ses actes. Pour Dieu, cette gloire se manifeste par sa toute puissance agissante. Dans la Bible, lorsque Dieu permet à son peuple d'être victorieux de ses ennemis, on dit qu'il manifeste sa gloire. Or, dans la vie de Jésus, la gloire de Dieu est souvent reliée à la mort du Fils de l'homme. Luc fera explicitement le lien entre la gloire et la mort de Jésus sur la croix : « Ne fallait-il pas que le Fils de l'homme souffre pour entrer dans sa gloire ? » (*cf.* Lc 24,26). N'est-ce pas aussi ce que veut dire Jean lorsqu'il semble associer la sortie de Judas et la glorification de Jésus ?

Comment comprendre ce lien entre la mort et la gloire ? Dans le récit évangélique de Jean, c'est souvent l'heure de Jésus qui va traduire le lien entre mort et gloire. Dans la grande prière qui conclut le dernier repas, Jésus s'écriera :

Père, l'heure est venue. Glorifie ton fils pour que le fils te glorifie. (Jn 17,1)

Or l'heure de Jésus est celle de la mort. Le chapitre avait commencé par ces mots empreints de solennité :

Jésus, sachant que son heure est venue de passer de ce monde au Père... (Jn 13,1)

S'il y a un lien fort entre la mort de Jésus et sa gloire, n'est-ce pas parce que sa mort va être essentiellement une mort par amour, qu'elle va traduire tout son amour ? La suite du verset le dit :

Jésus, sachant que son heure est venue de passer de ce monde au Père, lui qui a aimé les siens va les aimer jusqu'à l'extrême. (Jn 13,1)

Ce lien entre l'amour et la mort se trouvera traduit clairement par Jésus lui-même :

Personne n'a d'amour plus grand que celui qui se dessaisit de sa vie pour ceux qu'il aime. (Jn 15,13)

Tous les récits du dernier repas vont faire le lien entre l'amour de Jésus pour les siens et sa mort : le lavement des pieds est le geste de pardon de Jésus spécialement envers Pierre qui va le renier : « Pierre, si je ne te lave pas, tu n'as pas part avec moi » (Jn 13,8), c'est-à-dire : si je ne te pardonne pas déjà ton reniement, tu ne seras plus en communion avec moi. Dans les milieux rabbiniques, il pouvait peut-être arriver que le disciple marque sa dévotion, son affection envers son maître, en lui lavant les pieds s'il était très âgé. Jésus inverse la situation : lui, le maître, va laver les pieds de ses disciples.

Mais Jésus va aussi *partager son pain* avec Judas. Or, dans la tradition des pays de la Bible, le geste de rompre le pain avec quelqu'un est un signe d'amitié sacrée. Rompre le pain avec Judas est donc, pour Jésus, un geste de pardon, comme l'indique le texte qui relie ce partage du pain et la trahison :

> C'est à ce moment, alors qu'il lui avait offert cette bouchée, que Satan entra en Judas. (Jn **13**,27)

Le récit marque bien que Judas trahit celui qui est son Maître et son ami :

> Celui qui mangeait le pain avec moi a levé contre moi le talon. (Jn **13**,18)

Ces gestes signifient donc que Jésus va vivre la défection des siens, non dans le ressentiment et l'amertume, mais dans le pardon d'amour. Parce qu'il vit l'hostilité, le reniement, la trahison en se livrant par amour, Jésus témoigne de l'amour de Dieu qui vit en lui : il est *glorifié* et il *glorifie* le Père. Il entre dans la gloire : il manifeste l'amour de son cœur ; et le Père est glorifié en lui : car l'amour vrai vient du Père qui est Source de tout amour. En cette mort acceptée, l'amour divin va dire toute sa force de pardon et de guérison. C'est donc bien la présence toute aimante de Dieu, la gloire de Dieu, qui se trouve manifestée dans les gestes de Jésus qui entourent sa mort.

> Lorsque vous aurez élevé le Fils de l'homme, vous connaîtrez que je ne fais rien de moi-même mais qu'ainsi je dis et fais tout ce que le Père m'a enseigné. (Jn **8**,28)

Dans la nudité de la croix, là où il n'y a plus que l'amour à offrir en partage, Jésus nous montre le vrai visage de Dieu : d'un Dieu qui est amour, qui n'est qu'amour et pardon. Il glorifie Dieu.

### *Je vous donne un précepte nouveau : aimez-vous de bonté.*

Comment comprendre que ce précepte soit une nouveauté ? Le livre du Lévitique appelait déjà « à aimer son prochain comme soi-même » (Lv **19**,18). En quoi Jésus peut-il dire que son commandement est nouveau ? Faut-il traduire le mot grec *entolè* par commandement ? Le mot hébreu qui est à l'origine est celui de *mitsva*.

Ce terme hébreu désigne « un exercice que Dieu pro-pose à son peuple pour ramener sa Présence sur la terre, pour saturer le quotidien d'Éternel. » (J.Y. Leloup, *L'Évangile de Jean*, Albin Michel 1989, p. 242)

Ce qui doit être vécu par les disciples, c'est donc l'amour dont Dieu aime, sa façon d'aimer ; et cela afin que l'amour éternel transforme le monde.

Jésus ne dit pas seulement « aimez-vous » mais il ajoute : « comme je vous aime ». Le mot « comme » est fréquent dans le récit de Jean. Citons quelques exemples pour bien en saisir toute la portée :

> Moi aussi je vous ai aimés *comme* le Père m'a aimé. Si vous gardez mes préceptes vous demeurerez dans mon amour *comme* je garde les préceptes de mon Père. (Jn **15**,9-10)

> Je connais mes brebis et mes brebis me connaissent *comme* mon Père me connaît et que je connais mon Père. (Jn **10**,14-15)

> *Comme* Tu m'as envoyé dans le monde, moi aussi je les ai envoyés dans le monde. (Jn **17**,18)

> Que tous soient un *comme* toi, Père, tu es en moi et moi en toi. Qu'ils soient un *comme* nous sommes un. Tu les as aimés comme tu m'as aimé. (Jn **17**,21-23)

Il s'agit donc d'aimer à la manière de Dieu, par son amour même qui est accueilli en nous pour être redonné. Le verbe « aimer » qui est employé ici est le verbe grec *agapao*. Or il y a plusieurs mots grecs pour traduire « aimer » : *éros* désigne l'amour désir ; *philia* traduit l'amitié ; pour traduire l'amour de gratuité, la grâce, on emploie le mot *agapè*.

> Jésus emploie ce mot pour proposer à ses disciples d'ai-mer comme lui, lui qui aime comme Dieu. Jésus ne nous commande pas « d'être amoureux les uns des autres, de nous désirer avec passion ». Il ne nous demande pas de nous forcer à être l'ami de nos ennemis. Il parle d'*agapè*, d'acceptation sans retour de l'autre quel qu'il soit, tel

qu'il est; l'aimer non pour soi mais aimer l'autre pour lui-même, vouloir ce qu'il est, vouloir son indépendance, sa liberté, et surtout son salut qui est libération de tout ce qui l'opprime, le fait souffrir, tout ce qui empêche son cœur et son intelligence de vivre au large. (Leloup, *op. cit.*, p. 243-244)

Devant l'exigence de cet amour-*agapè*, on peut comprendre qu'il nous faut communier à la force même de Jésus pour aimer comme lui. Aimer comme lui, aimer comme le Père, c'est d'abord et surtout aimer par lui, avec lui, en lui.

En quoi ce précepte de l'amour est-il nouveau? Les commentateurs sont divisés sur la réponse. Est-ce que la Bible de Moïse n'enseignait pas un tel amour? Comme le dit le récit de Matthieu, Jésus semble renouveler la *Tora* orale:

Vous avez appris qu'il a été dit: « Tu aimeras ton prochain et tu haïras ton ennemi. » Et moi, je vous dis: « Aimez vos ennemis. » (Mt 5,43-44)

Est-ce un précepte nouveau en ce sens qu'il faut aimer comme Dieu, comme Jésus, alors que la *Tora* enseignerait à aimer son prochain comme soi-même? La première lettre de Jean demande aux disciples d'aimer jusqu'à l'extrême *comme le Maître*:

Lui a donné sa vie pour nous, ainsi nous devons donner notre vie pour nos frères. (1Jn 3,16)

Est-ce un précepte nouveau parce qu'il permet le renouvellement du cœur par une vie plus intérieure, comme l'annonçaient des prophètes comme Isaïe, Jérémie et Ézéchiel?

Des jours viennent où je conclurai une nouvelle alliance avec la communauté d'Israël. Je déposerai mes préceptes au fond d'eux-mêmes, les inscrivant dans leur être. (Jr 31,31)

Je verserai sur vous une eau pure et vous serez purifiés. De toutes vos souillures, de toutes vos idoles je vous purifierai. Je vous donnerai un cœur nouveau, je mettrai en vous un esprit nouveau. J'enlèverai votre cœur de pierre et je vous donnerai un cœur de chair. Je mettrai en vous mon esprit : alors vous suivrez mes préceptes et y serez fidèles. (Éz **36**,25-27)

Ajoutons qu'aimer Dieu ou le prochain doit toujours être un acte neuf, comme une première fois, car on n'aime pas vraiment si le geste d'amour n'est que répétition passive du passé. Madeleine Delbrêl traduisait ainsi cette nouveauté :

« Je te souhaite un amour neuf, venu droit de Dieu, allant droit aux autres, ne se souvenant d'aucun déjà dit, d'aucun déjà fait. » (cité dans Jacques Lœw, *Vivre l'Évangile avec Madeleine Delbrêl*, Centurion 1994, p.108)

Mais on peut aussi relier cette nouveauté à ce qui sera le signe distinctif des disciples de Jésus :

En cela tous connaîtront que vous êtes mes disciples : si vous avez un amour de bonté les uns pour les autres. (v. 35)

Le signe de l'appartenance au peuple d'Israël était la circoncision. Pour le nouveau peuple que Jésus rassemble, le signe qui manifestera l'appartenance sera l'amour fraternel. Alors que la *Tora* de Moïse comporte des préceptes qui établissent des barrières entre les humains (comme la circoncision et l'interdiction de manger certaines viandes), le signe de l'assemblée du Christ est l'amour sans condition qui peut être vécu par tout être humain. L'apôtre Paul explicite cela pour les Galates :

Ce qui importe, ce n'est ni la circoncision ni l'incirconcision, mais la nouvelle création. (Ga **6**,15)

Aux Éphésiens, Paul parle d'un être humain nouveau :

[Christ] a aboli la *Tora* et ses préceptes avec leurs observances. Il a voulu ainsi créer en lui un seul être humain nouveau. ... C'est grâce à lui que les uns et les autres nous avons accès auprès du Père dans un seul Esprit. (Ép 2,15-18)

La pratique chrétienne de la fraternité serait nouvelle parce qu'elle crée un être nouveau qui vit dans une communauté qui doit être sans frontières : ethnique, raciale, sexiste, sociale. Paul se fera le véritable héraut de cette assemblée nouvelle ouverte à tous :

> Vous tous qui êtes baptisés en Christ, vous avez revêtu le Christ : il n'y a plus ni Juif ni Grec, ni esclave ni homme libre, ni homme ni femme. Tous en effet vous ne faites qu'un dans le Christ Jésus. (Ga 3,26-28)

Dans l'assemblée chrétienne du peuple de Dieu, personne ne doit être marginalisé. Les pauvres, les malades, les handicapés doivent au contraire avoir une place prioritaire.

> Considérez, frères, qui vous êtes, vous qui avez reçu l'appel de Dieu ; il n'y a parmi vous ni beaucoup de savants aux yeux des hommes ni beaucoup de puissants ni beaucoup de gens de noble famille. (1Co 1,26)

Pour être le signe des disciples, cet amour fraternel doit être visible. Il doit réellement unir les disciples en une vraie *communauté de solidarité*. Pour les disciples de Jésus, la réalisation de vraies communautés fraternelles n'est donc pas facultative. C'est la solidarité de frères et de sœurs s'aimant les uns les autres qui est le signe-témoin, signe que ces hommes et ces femmes sont disciples de Jésus, signe aussi que ce Jésus est toujours présent au milieu des siens par l'amour qu'il fait vivre.

Il y a ici une expression qu'il faut remarquer : *les uns les autres*. La première lettre de Jean la reprend fréquemment :

> Tel est le message que vous avez entendu dès le commencement : que nous nous aimions les uns les autres. (1Jn 3,11)

Si nous marchons dans la lumière, nous sommes en communion les uns avec les autres (1Jn 1,7).

Mes bien-aimés, si Dieu nous a aimés ainsi, nous devons, nous aussi, nous aimer les uns les autres (1Jn 4,11).

Paul reprendra à l'infini cette expression. Relevons seulement quelques citations pour bien saisir tout le réalisme de cet amour fraternel :

Soyez accueillants les uns pour les autres. (Rm 15,7)

Mettez-vous au service les uns des autres par l'amour gratuit. (Ga 5,13)

Portez les fardeaux les uns des autres. (Ga 6,2)

Réconfortez-vous les uns les autres et édifiez-vous l'un l'autre... Soyez en paix les uns avec les autres... Faites-vous du bien les uns aux autres. (1Th 5,11-15)

Montrez-vous bons et compatissants les uns pour les autres. (Ép 4,32)

Pardonnez-vous les uns aux autres. (Col 3,13)

Sur l'amour fraternel, vous n'avez pas besoin qu'on vous écrive car vous avez personnellement appris de Dieu à vous aimer les uns les autres. Mais nous vous encourageons à faire encore des progrès. (1Th 4,9s)

Ainsi c'est à l'intérieur d'une communauté très concrète, à taille de fraternité, que le disciple de Jésus est appelé à faire l'*expérience* de la pratique de l'amour gratuit. Un amour qui est accueil, service, entraide, pardon... Non que cet amour se limite à ceux qui sont les disciples, les compagnons de foi en Christ — l'amour du prochain doit s'étendre à tout être qui est dans le besoin, même l'ennemi — mais la communauté chrétienne est le laboratoire où s'apprend, et où se vérifie quotidiennement l'amour gratuit. Au sein de la communauté chrétienne, nous laissons le Christ nous aimer et nous nous aimons les uns les autres pour aller ensemble, les uns avec les autres, aimer tous ceux avec qui nous vivons chaque jour.

Pour vivre entre chrétiens ce signe, ce témoignage de l'amour de bonté, de vraies communautés de disciples de Jésus sont nécessaires. Or, la paroisse d'aujourd'hui — la plupart du temps — n'est plus à taille de communauté. Il ne s'agit pas de négligence, de mauvaise volonté des chrétiens qui composent l'assemblée paroissiale. Il s'agit de la structure paroissiale dans le monde urbain. Comme il n'y a plus — la plupart du temps — de communautés rassemblées par le territoire, les paroisses sont devenues surtout des lieux qui n'offrent plus que des services religieux à des individus. Les paroisses urbaines doivent donc refaire des communautés si l'on veut que les disciples de Jésus retrouvent des milieux fraternels où ils pourront vivre cet apprentissage de l'amour gratuit. Dans la grande tradition de la Bible, c'est autour des repas sacrés que se sont construites les familles-églises. Jésus a célébré ces repas avec ses disciples. Après Pâques, les premières communautés se sont aussi tissées autour de la Fraction du Pain :

> Ils étaient assidus à l'enseignement des apôtres et à la communion fraternelle, à la fraction du pain et aux prières. Tous ceux qui étaient devenus croyants étaient unis et mettaient tout en commun. La multitude de ceux qui étaient devenus croyants n'avait qu'un cœur et qu'une âme et nul ne considérait comme sa propriété l'un quelconque de ses biens; au contraire, ils mettaient tout en commun. (Ac 2,42.44 ; 4,32)

Il nous faut donc retrouver la coutume de ces repas sacrés où la communauté de table se réalise par le partage du pain et celui de la Parole évangélique.

Il appartient aux chrétiens et chrétiennes d'aujourd'hui de créer ces repas qui pourront rassembler, dans les maisons privées, une douzaine de disciples qui deviendront ainsi des frères et sœurs autour du Christ Jésus. Cet amour gratuit qui nous fait frères et sœurs, le langage chrétien traditionnel l'appelait charité. On a malheureusement déprécié le mot en parlant de « faire la charité » au sens de « faire l'aumône ». Or, on ne « fait » pas la charité : on est charitable, on est vivant de charité. Il nous faut redonner au mot charité son sens premier qui est l'amour humain pétri d'amour divin, comme le décrit Madeleine Delbrêl :

> La charité est plus que le nécessaire pour exister, plus que le nécessaire pour vivre, plus que le nécessaire pour agir. La charité est notre vie devenant vie éternelle.

Parce qu'elle est participation à l'amour même dont Dieu aime, les disciples de Jésus doivent puiser cette charité — cette bonté généreuse — dans le cœur même de Jésus :

> On n'apprend pas la charité, on fait peu à peu sa connaissance en faisant la connaissance du Christ. C'est la foi du Christ qui nous rend capables de charité ; c'est la vie du Christ qui nous montre comment désirer, demander, recevoir la charité. C'est l'Esprit du Christ qui nous rend vivants de charité. (M. Delbrêl, *Joie de croire*, p. 82)

Au début de ce nouveau siècle, les gens pourront-ils reprendre en vérité ce qu'on disait des chrétiens au temps de Tertullien : « Voyez comme ils s'aiment » ?

\*

\* \*

*Jésus, ta gloire n'est pas celle des humains*
*mais celle du don de Dieu nu sur la croix :*
*la comprenons-nous ?*
*Ton amour se donne gratuitement en nous*
*et par nos frères et nos sœurs :*
*savons-nous le reconnaître ?*
*Que jamais mon cœur ne se laisse alourdir*
*par mes manques de charité fraternelle.*
*Libère-moi de mon égoïsme !*

*Que ton Esprit qui est gratuité*
*pénètre en moi et dans notre communauté !*
*Qu'il transforme les nuits*
*de nos communautés et du monde,*
*en aurore d'amour et de tendresse fraternelle. Amen !*

## QUESTIONS DE COMPRÉHENSION ET D'APPROPRIATION

1. À quel moment de la vie de Jésus se situe cet épisode ?
2. Que signifie la glorification dans la Bible ?
3. Qu'est-ce que le Fils de l'homme ?
4. Quel lien est fait entre la trahison de Judas et la glorification du Fils de l'homme ?
5. Comment Jésus réagit-il en face de la trahison, du reniement et de l'abandon de ses disciples ?
Pourquoi peut-on dire que Jésus a déjà pardonné à Pierre, à Judas et aux autres disciples ?
6. Quel est, pour Jésus, le signe qui fait reconnaître son disciple ?
7. Comment aimer son ennemi concrètement ?
8. D'où vient la tradition de sacraliser le repas ?
9. Aujourd'hui, comment l'Église peut-elle constituer des groupes de partage autour du repas sacré ?
10. Les repas sacrés sont-ils essentiels à la vie de fils et filles du Père ?
11. Comment nos communautés peuvent-elles devenir des lieux véritables de partage et d'amour fraternel et gratuit ?

## 6e dimanche de Pâques
### Jean 14,23-29

### ÉVANGILE DE JÉSUS
selon l'écrit de Jean

Jude dit à Jésus : « Seigneur, pourquoi se fait-il que tu doives te manifester à nous et non au monde ? » Jésus lui répond : « Si quelqu'un m'aime d'amour de bonté, il gardera et accomplira ma parole, mon Père l'aimera d'amour de bonté et nous viendrons à lui et nous ferons demeure chez lui. Celui qui ne m'aime pas d'amour de bonté ne garde pas et n'accomplit pas ma parole.

La parole que vous écoutez n'est pas la mienne mais celle du Père qui m'a envoyé. Je vous ai dit cela, pendant que je demeure auprès de vous. Le Paraclet — l'Esprit de sainteté — que le Père enverra en mon nom, lui vous enseignera tout et vous fera faire mémoire de tout ce que je vous ai dit.

Je vous laisse la paix, je vous donne la paix qui est la mienne. Ce n'est pas comme le monde donne que, moi, je vous donne. Que votre cœur ne soit pas troublé et qu'il n'ait pas peur.

Vous avez écouté ce que je vous ai dit : Je m'en vais et je viens vers vous. Si vous m'aimiez d'amour de bonté vous vous réjouiriez de ce que je vais vers le Père car le Père est plus grand que moi. Maintenant je vous ai parlé avant que cela arrive pour que vous ayez foi quand cela arrivera. »

Nous sommes dans les chapitres de Jean qui relatent l'entretien suprême de Jésus avec ses apôtres, lors du dernier repas, après le geste si fort du lavement des pieds.

Il faut écouter ces phrases dans le contexte où elles ont pu être prononcées : celui des adieux de Jésus à ses compagnons, aux disciples dont il avait fait ses amis. Nous assistons à un entretien fidèle à la coutume des repas sacrés, comme celui de la Pâque, où le maître de maison répond aux questions du plus jeune des convives. Ici ce sont, à tour de rôle, Pierre, Thomas, Philippe et Jude qui vont interroger le maître. À la parole de Jésus : « Là où je vais vous ne pouvez venir », Simon-Pierre fait la première demande : « Où vas-tu ? » (Jn 13,36) Ce qui permet à Jésus à la fois d'annoncer à Pierre qu'il manquera de courage pour le suivre, mais aussi d'annoncer qu'il viendra prendre avec lui ceux qui auront pris, comme lui, le chemin du Père (Jn 14,4). Thomas renchérit : « Seigneur, nous ne savons pas où tu vas. Comment pourrions-nous en connaître le chemin ? » (Jn 14,5) Jésus lui fait alors cette réponse unique : « Je suis le chemin, la vérité et la vie. » Il est celui par qui on va au Père. Philippe se fait suppliant : « Seigneur, montre-nous le Père et cela nous suffit » (Jn 14,8). La réponse revient, semblable, mais encore plus explicite : « Qui m'a vu, a vu le Père. Encore un peu le monde ne me verra plus. Mais vous, vous me verrez. » Jude alors pose la question à laquelle notre texte va apporter une réponse :

> Seigneur, pourquoi se fait-il que tu doives te manifester à nous et non au monde ? (v. 22)

Pour comprendre la question de Jude et apprécier la réponse de Jésus, il nous faut nous interroger sur le style de manifestation que ses disciples pouvaient attendre du messie. Les Écrits bibliques décrivent souvent la venue du messie. Citons simplement Isaïe :

> Debout ! Resplendis ! car voici ta lumière, et sur toi se lève la gloire du Seigneur-Dieu. Les nations marcheront à ta lumière. Les fils de l'étranger rebâtiront tes remparts, et leurs rois te serviront. Car la nation et le royaume qui ne te servent pas périront, et les nations seront exterminées. Ils s'approcheront de toi, humblement, les fils de tes oppresseurs, ils se prosterneront à tes pieds, tous ceux qui te méprisaient. (Is 60,1.3.10.12.14)

On le voit : la venue du messie était espérée comme une victoire du peuple de Dieu qui devenait le centre du monde et rassemblait autour de lui tous les peuples.

De là probablement l'incompréhension de Jude lorsque Jésus parle de sa manifestation à ses disciples et non au monde. C'est que Jésus se situe sur un tout autre plan : celui de l'amour. Sa manifestation sera d'abord de l'ordre de la rencontre intérieure, spirituelle, amoureuse. « Plus intime à moi-même que moi-même », dira saint Augustin. Jésus parle de faire sa demeure dans le cœur de son disciple, dans le cœur de celui qui garde sa parole. Garder la parole de l'aimé, n'est-ce pas le propre de l'amant ? De celui qu'on aime passionnément, on garde jalousement les paroles. On se les remémore, on se les redit lorsqu'on en est éloigné, séparé. Pour la Bible, garder les paroles ce n'est pas seulement les garder en archives, c'est aussi les mettre en pratique pour faire *re-vivre* les moments de communion avec l'aimé. Mais faire revivre les paroles de Jésus, c'est aussi communier au Père puisque, dit Jésus, les paroles que vous écoutez ne sont pas de moi « mais du Père qui m'a envoyé » (v. 24). La présence de Jésus dans le cœur de son disciple est donc aussi présence du Père : « Nous viendrons et nous ferons demeure chez lui. » (v. 23)

**Le Paraclet — l'Esprit de sainteté — que le Père enverra en mon nom, lui vous enseignera tout, et vous fera faire mémoire de tout ce que je vous ai dit.** Ici, l'Esprit est surnommé le *Paraclet*. Un nom un peu étrange à nos oreilles. Mais c'est un nom commun dans la langue juive. Il désigne « la personne qui se tient à côté de vous » pour vous apporter un soutien, une aide : cela peut être un « avocat » qui est à vos côtés pour prendre votre défense. C'est pourquoi on traduit souvent *paraclet* par *défenseur*. Ainsi les tribunaux juifs connaissaient un personnage que nous n'avons plus de nos jours. Dans un procès, lorsque le verdict était rendu, il pouvait arriver qu'un homme de réputation incontestée vienne silencieusement se placer *à côté* de l'accusé, ou pour mieux dire : *du côté* de l'accusé. Cette personne jouait alors le rôle de paraclet et son témoignage muet confondait les accusateurs. On se souvient du rôle de Jésus dans le récit de la femme adultère. Jésus ne parle pas, mais il se tient du côté de cette femme, face à ses accusateurs.

Mais il y avait d'autres sortes de paraclet. Ce mot désignait aussi un autre personnage : celui qui joue le rôle d'*interprète*, à la synagogue. À la synagogue (la maison de prière des Juifs), les lectures des prophètes se font en hébreu qui est la langue de la Bible. Au temps de Jésus, les gens ne comprenaient plus beaucoup l'hébreu car on parlait araméen, une langue voisine, proche de l'hébreu ; un peu comme l'italien, l'espagnol ou le français sont proches du latin. À la synagogue, il fallait donc traduire les lectures des prophètes. Ainsi à côté du lecteur se tenait quelqu'un qu'on appelait le *paraclet*. Il traduit et interprète les textes pour mieux les faire comprendre aux fidèles. C'est peut-être ce personnage du paraclet-interprète qui va servir de modèle à Jésus pour dire le rôle de Celui que le Père enverra en son nom.

Se souvenir, ici, ne signifie pas seulement se rappeler quelque événement qui appartient au passé et demeure du passé. Dans la Bible, *faire mémoire*, c'est au contraire rendre *présent* un événement passé. Jésus vient de dire : « Celui qui m'aime gardera ma parole. » Et nous avons vu que garder la Parole, ce n'est pas la mettre au rayon des archives mais c'est la vivre, la mettre en pratique, l'accomplir. Lorsque Jésus ne sera plus au milieu des siens, il redira ses paroles au cœur de ses disciples par l'Esprit-Paraclet. C'est l'Esprit même de Jésus qui viendra aider son disciple à mettre en pratique l'Évangile, qui viendra aider à vivre selon les mœurs de Dieu. C'est avec l'Esprit que le disciple va « penser et agir divinement ». En d'autres occasions, Jésus a dit que le Paraclet fera « accéder à la pleine vérité ». Jésus était déjà lui-même un Paraclet, un interprète ; il a interprété les paroles du Père : il est le chemin qui nous mène vers le Père. Mais quand il ne sera plus là, il promet d'envoyer un autre Paraclet qui sera avec nous pour toujours.

Un interprète de la pensée de Dieu et de Jésus est précieux pour nous aujourd'hui. Nous sommes plus que jamais affrontés à de graves interrogations : par exemple sur le plan de la morale de la vie, ce qu'on appelle la bioéthique. Cela concerne la contraception, l'avortement, le suicide assisté, l'euthanasie, les bébés-éprouvettes et le clonage. Il n'y a pas d'unanimité dans les populations sur ces sujets. Pour certains de ces problèmes, même entre chrétiens, il y a des opinions différentes. Faisons-nous assez appel à l'Esprit, au Paraclet pour nous mener vers une plus grande vérité ? Dieu nous a parlé par Jésus : mais nous n'avons pas encore découvert tout ce que sa parole peut nous dire.

Un autre exemple : nous ne sommes plus dans une société monolithique, c'est-à-dire une société unanime sur le plan des valeurs, un monde où tout le monde pense de la même façon. Aujourd'hui, surtout dans les grandes villes, il y a un grand pluralisme, une grande diversité de races, de religions... Ainsi l'immigration amène chaque année dans la grande région de Montréal 40 000 personnes : parmi eux il y a des chrétiens sans doute, mais aussi des musulmans, des bouddhistes, des incroyants. Ces gens ont des sensibilités diverses en ce qui concerne les valeurs morales. De plus en plus, un dialogue est nécessaire : pour se comprendre d'abord mais aussi pour s'enrichir mutuellement. Et il nous faut demander l'aide du Paraclet dans ces dialogues. Lacordaire a une très belle réflexion sur ce sujet. Citons-le de mémoire : « Quand je rencontre quelqu'un qui ne partage pas mon opinion, je ne cherche pas tant à le convaincre de son erreur qu'à ce que nous marchions ensemble vers une vérité plus grande. »

Pour vivre cette phrase de Lacordaire, il faut croire que l'autre est habité par l'Esprit divin, quelles que soient sa religion, sa croyance, voire son incroyance.

Dans tout être de bonne volonté, il y a une présence de Dieu. Le Christ et son Esprit sont là, en tout humain, mais d'une façon qui souvent nous est cachée, car intérieure. Il nous faut donc découvrir la présence de l'Esprit en l'autre et ensemble nous aurons à faire grandir cette présence. Cela suppose une attitude de contemplation : un regard généreux, gratuit... qui cherche en priorité ce qui est beau et bon en l'autre. On pourrait dire que contempler, c'est se mettre sur la longueur d'onde de l'Esprit. Or c'est Dieu qui peut nous placer sur sa longueur d'onde. C'est Lui qui vient vers nous, pour faire sa demeure en nous : il faut donc ouvrir notre cœur à l'Esprit-Paraclet. Et pour cela il faut se donner des temps de silence, demander l'aide de l'Esprit, lire l'Évangile et le méditer.

### Je vous laisse ma paix.
### Je vous donne la paix qui est la mienne.

Nous savons que la façon juive de se saluer, c'est de se souhaiter la paix. En langue juive, cela se dit : *Shalom*. Paix à toi ! La paix soit avec toi ! Dans la langue française, on se dit : Bon jour ! Que ta journée soit bonne ! La paix ! Que signifie ce mot dans la langue de Jésus ? Il évoque ce qui est complet, ce qui fait unité. On connaît le psaume 121-122 qui parle de Jérusalem ; *Salem* viendrait de *shalom* ; selon l'étymologie populaire, Jérusalem voudrait dire : cité de la paix.

Nos pieds s'arrêtent devant tes portes, Jérusalem. Jérusalem, bâtie comme une ville où tout ensemble ne fait qu'un. (Ps 122,2-3)

Des expressions juives traduisent bien cette idée que la paix est l'unité, la concorde, l'harmonie : par exemple, l'ami se dit : *l'homme de ma paix*; achever une maison, mettre le toit qui va faire l'unité des murs, se dit : *pacifier la maison*. Cette image juive de la paix est très belle et très inspirante.

L'étymologie du mot français, *paix*, *pax* en latin, est incertaine : certains disent que cela vient du mot « pal », un pieu. On sait que, pour délimiter les terrains, on plante des pieux, on les fiche en terre... Plusieurs pieux fichés en terre forment une *pal-issade*. Est-ce là l'origine de l'expression : ficher la paix à quelqu'un? Cela pourrait vouloir dire que je mets une clôture, une palissade, entre sa terre et la mienne : chacun chez soi et on sera tranquille, on ne se chamaillera pas. Comme dit le proverbe : « Les bonnes clôtures font les bons voisins. » On voit que cette paix est loin d'évoquer l'unité, l'harmonie.

Mais revenons à Jésus : « Je vous donne la paix. » Jésus nous dit son désir, son projet de travailler à faire l'unité. N'oublions pas que faire la paix, apporter la paix, c'est la tâche première de ce messie que les Juifs attendent. En posant à un Juif cette question : « Pourquoi les Juifs ne reconnaissent pas Jésus comme Messie? », celui-ci a répondu « Parce que Jésus n'a pas apporté la paix. » C'est bien vrai : moins de 40 ans après la mort de Jésus, les Romains détruiront complètement la ville de Jérusalem parce que les Juifs se seront révoltés.

Voilà 2 000 ans que Jésus est venu... et les guerres continuent toujours. Jésus dit que la paix qu'il apporte, il ne l'apporte pas à la façon du monde. Comment comprendre cela? Le monde croit pouvoir apporter la paix par la force : on règle plus souvent les conflits par la guerre, davantage par la domination que par le dialogue. Les traités de paix sont signés après des guerres qui font de nombreuses victimes. Face aux conflits qui sont inévitables dans le monde, Jésus ne croit pas aux moyens qui sont ceux des pouvoirs politique ou économique. Cela ne va pas au cœur des choses. Des structures justes ne forment pas automatiquement des humains qui deviennent justes. Si la paix ne se bâtit pas sur des êtres vraiment convertis à la justice et à la solidarité, la paix ne durera pas.

Pour Jésus, la paix demande d'aller même plus loin que la justice : pour lui, la seule puissance de paix est celle de l'amour. Or l'amour ne s'impose pas : il se propose, dans un dialogue qui en appelle à la liberté de l'autre : si tu veux ! Rappelons cette phrase du philosophe Jean Lacroix :

> Aimer, c'est promettre et se promettre de ne jamais utiliser les moyens de violence et de puissance envers celui, celle qu'on aime.

L'amour se conjugue avec l'humilité. « Je ne suis pas parfait, mais ensemble nous pouvons nous entraider et grandir. » Les gens qui se pensent forts et qui manifestent leur puissance ne peuvent pas vraiment aider les autres : car ils sont peut-être admirables, mais ils ne sont pas proches.

Il ne s'agit pas de vaincre l'autre. Il s'agit de chercher avec l'autre le chemin de l'entente, le chemin d'une plus grande justice. « Marcher ensemble vers une vérité plus grande », disait Lacordaire. Certaines fois, cette marche ensemble est impossible. Cette recherche de la concorde est refusée. Jésus a vécu cela... il a été rejeté par les dirigeants de son peuple. Mais sa volonté d'aimer n'a pas été entamée : il a préféré s'exposer lui-même en livrant sa vie dans un acte d'amour plutôt que de prendre des moyens de puissance et de

violence pour vaincre ses opposants. Une victoire qui
s'impose par la force est sans lendemain de paix
durable. « Qui prend l'épée périra par l'épée », dira
Jésus à ses disciples (Mt **26**,52). Toute la passion de
Jésus — l'acceptation volontaire de la mort — n'a de
sens que si nous y voyons un geste de pardon, de pardon d'amour. C'est dans cette mort d'amour sur la
croix que Jésus est vraiment la source de la paix.

Oui, la paix donnée par Jésus est proche du pardon. Mais voici que cette mission d'être porteur de
paix par le pardon est une mission que Jésus va confier
à tous ses disciples. Nous connaissons ce moment de
rencontre de Jésus avec les disciples au soir de la résurrection.

> Le soir de ce premier jour de la semaine, alors que les
> portes sont verrouillées par crainte des Juifs, Jésus se
> tient au milieu de ses disciples : « Paix à vous ! » En
> voyant le Seigneur, les disciples sont tout à la joie. « La
> paix soit avec vous ! Comme le Père m'a envoyé, moi
> aussi je vous envoie. » Ayant dit cela, il insuffle son
> souffle en eux en disant : « Recevez mon souffle de sain-
> teté. Ceux à qui vous remettrez les péchés, ils seront
> remis. Ceux à qui vous les retiendrez, ils seront retenus. »
> (Jn **20**,19-23)

Que signifie ce geste de Jésus ? Nous savons que
dans plusieurs langues (en hébreu, en grec, en latin) le
souffle et l'esprit, c'est le même mot. En hébreu, c'est
*rouah*, en grec *pneuma*, en latin, *spiritus*. Le grec
*pneuma* a donné en français poumon, pneumatique.
On pourrait dire que le sens propre du mot *rouah* c'est
le souffle, le vent et que le sens figuré c'est l'esprit. Le
latin *spiritus* a donné esprit mais aussi inspirer, expi-
rer. Au sens propre, inspirer c'est s'ouvrir au souffle,
le faire entrer dans nos poumons. Au sens figuré, *être
inspiré par quelqu'un* signifie s'ouvrir à la pensée, à
l'esprit d'un autre.

Au soir de la résurrection, Jésus va inspirer ses disciples. On traduit souvent : « il souffle sur eux ». Mais le verbe employé dit : *il insuffle en eux*. Comme on le fait quand quelqu'un ne respire plus. Par le bouche à bouche, on lui insuffle notre propre souffle pour lui redonner du souffle. Jésus fait entrer en ses disciples une force de vie, un souffle spirituel de vie divine. La Genèse décrit la création de l'être humain comme un don de souffle divin.

> Le Seigneur-Dieu modela l'humain avec de la poussière prise du sol. Il insuffla dans ses narines le souffle de vie, et l'humain devint un être vivant. (Gn 2,7)

Le Ressuscité recrée ses disciples avec un souffle divin de bonté, de pardon : « Remettez les fautes. Pardonnez. Transmettez-vous les uns aux autres mon souffle de bonté, de pardon pour remettre les cœurs dans la paix. »

La faute est toujours un manque d'amour, et manquer d'amour c'est affaiblir la vie en nous. Plus nous manquons d'amour, plus nous entrons déjà dans la mort spirituelle. Le pardon, c'est faire renaître quelqu'un à l'amour. Dans l'Église catholique, ce geste de pardon est confié aux prêtres. Mais lorsqu'il célèbre le pardon de Dieu, le prêtre est alors le représentant du Corps du Christ, le Christ total : Jésus et ses disciples, la Tête et les membres du Corps. Le rituel du sacrement de pardon sera donc peu fécond, presque vidé de son sens, si les chrétiens ne vivent pas le pardon entre eux, s'ils ne sont pas des porteurs de pardon.

Disciples de Jésus, nous sommes tous responsables du pardon qui vient de Dieu. En effet, qu'est-ce que pardonner ? C'est dire à celui qui est possédé par la volonté de dominer, de posséder l'autre, les autres, dire à celui qui manque d'un véritable amour : « Je sais que tu es meilleur que ce que tu fais. Ce que tu fais, tu ne le veux pas vraiment. Tu es victime des circonstances mauvaises. Au fond de toi, il y a un être capable d'amour. Sois sûr que tu es aimé. »

Celui qui se découvre aimé gratuitement, sans condition, celui-là devient capable de respect de l'autre, de partage. Il perd cette insécurité profonde qui le rendait possessif et dominateur. Il peut revivre à l'amour.

Voilà la responsabilité que Jésus nous donne : « Recevez mon Esprit et soyez des artisans de paix. » François d'Assise exprime bien cette mission :

> On reconnaîtra que tu aimes le Seigneur si n'importe qui au monde, après avoir péché contre toi autant qu'il est possible de pécher, peut rencontrer ton regard, demander ton pardon et te quitter pardonné… Si au contraire tu ne remets pas les fautes, si tu ne pardonnes pas à ton frère, alors il ne recevra pas cette force qui va le guérir et le faire revivre.

Voilà notre responsabilité. Voilà un pain d'amour et de paix à partager tout au long de notre semaine.

*

*     *

*Père, apprends-moi les mains et les pieds*
*qui conduisent vers des chemins*
*de liberté intérieure.*
*Apprends-moi la bouche*
*qui reçoit ton souffle d'amour.*
*Apprends-moi le cœur*
*qui s'ouvre aux terres de différences.*
*C'est mon offrande, Père :*
*mes mains et mes pieds,*
*ma bouche et mon cœur*
*qui s'offrent à toi, moi, le pécheur amoureux.*
*Apprends-moi le chemin qui mène à te suivre*
*sur les routes du pardon*
*et de la paix miséricordieuse. Amen !*

## QUESTIONS DE COMPRÉHENSION
## ET D'APPROPRIATION

**1.** Dans quel contexte ces paroles de Jésus ont-elles été prononcées?

**2.** Que signifie la demande de Jude: «Pourquoi dois-tu te manifester à nous et non pas au monde?»

**3.** Qu'est-ce qu'un paraclet?

**4.** Qu'est-ce que faire mémoire, au sens de la Bible?

**5.** Quel sera le rôle du paraclet envoyé par Jésus?

**6.** Que signifie le mot *shalom*?

**7.** Quelle paix nous propose Jésus?

**8.** Quel lien y a-t-il entre la paix et la croix?

**9.** Pourquoi le pardon de l'Église catholique semble-t-il si peu gratuit, conditionné par les pénitences, les indulgences, les conditions pour aller communier?

**10.** Comment reconnaître les signes d'un bon interprète de la parole?

**11.** Comment dialoguer avec les gens qui n'ont pas les mêmes idées que nous?

**12.** Comment peut-on vraiment arriver à une paix intérieure durable?

**13.** Comment les gens qui portent en eux la paix peuvent-ils agir dans le monde pour plus de justice et moins de violence?

## Fête de l'Ascension
## Luc 24,36-53

Alors que les disciples parlent de ces événements, [Jésus] lui-même est présent au milieu d'eux et il leur dit : « Paix à vous ! C'est moi, ne craignez pas. » Alors ils se mettent à trembler, remplis de crainte : ils pensent voir un esprit. Et il leur dit : « Pourquoi êtes-vous troublés et pourquoi des objections s'élèvent-elles dans vos cœurs ? Regardez mes mains et mes pieds : c'est bien moi. Touchez-moi et voyez : un esprit n'a ni chair, ni os, comme vous voyez que j'en ai. » À ces mots, il leur montre ses mains et ses pieds.

Comme, sous l'effet de la joie, ils restent encore incrédules et comme ils s'étonnent, il leur dit : « Avez-vous ici de quoi manger ? » Ils lui offrent un morceau de poisson grillé. Il le prend et mange sous leurs yeux. Puis il leur dit : « Paix à vous ! Voici les paroles que je vous ai dites quand j'étais encore avec vous : Il faut que s'accomplisse tout ce qui a été écrit à mon sujet, dans la *Tora* de Moïse, les Prophètes et les Psaumes. »

Alors il ouvre leur intelligence à la compréhension des Écritures. Il leur dit : « Ainsi il est écrit que le Messie souffrirait, qu'il ressusciterait d'entre les morts au troisième jour, qu'en son nom la conversion pour le pardon des péchés serait proclamée à toutes les nations, en commençant par Jérusalem. Vous en êtes témoins. Voici que moi j'envoie sur vous la promesse de mon Père. Restez dans la ville jusqu'à ce que vous soyez revêtus de la force d'en haut. »

Il les emmène jusque vers Béthanie. Élevant les mains, il les bénit. Et tandis qu'il les bénit, il s'absente d'eux et est enlevé au ciel. Ils se prosternent devant lui. Puis ils reviennent à Jérusalem tout remplis de joie. Ils se tiennent continuellement dans le Temple dans la louange de Dieu.

Notre texte vient en finale du chapitre 24 de Luc. Ce chapitre rassemble en une seule journée un ensemble d'événements : la venue des femmes au tombeau et leur rencontre avec les deux messagers ; leur témoignage auprès des Onze (qui ne le reçoivent pas) ; la venue de Pierre au tombeau ; la rencontre du Ressuscité par les deux disciples sur le chemin d'Emmaüs ; la venue du Ressuscité au milieu des Onze et de leurs compagnons ; la séparation qui a lieu à Béthanie. Tout cela semble situé par Luc au premier jour de la semaine, le jour de la Résurrection.

Nous sommes plutôt habitués à situer l'Ascension au 40ᵉ jour après Pâques. Et c'est ce que Luc lui-même nous indique dans le livre des Actes, ce livre qui fait suite à son Évangile. Peut-être avons-nous ici une confirmation de ce que l'Évangile n'est pas un écrit journalistique qui voudrait relater des événements au jour le jour. L'Évangile, et tous les Écrits bibliques, veulent d'abord donner le sens des événements et pour cela ils emploient volontiers les symboles. Dans le livre des Actes, le symbole est celui des 40 jours. Ce chiffre 40 est le temps de l'engendrement d'un être humain : le nombre de semaines où il se trouve dans le sein maternel. Ici, dans ce temps qui suit la résurrection de Jésus, il pourrait symboliser le temps nécessaire pour que le grain de blé jeté en terre porte fruit, pour que le Crucifié descende dans les profondeurs des enfers et en remonte en libérateur de la mort et du mal.

Par son enseignement lors de ses diverses rencontres avec ses disciples, le Ressuscité achève de constituer sa communauté, son groupe de témoins : ce peuple nouveau de fils et filles de Dieu qui prendra le nom d'Église. Ce mot Église vient du mot grec *ecclésia* et traduit le mot araméen *qéhilla* (*qahal* en hébreu). C'est le mot par lequel la Bible désigne l'assemblée des tribus juives lorsque Moïse les a réunies dans le désert pour en faire le peuple de l'alliance avec Dieu. Là, l'engendrement du peuple avait comme symbole le temps de 40 années. C'est en effet pendant 40 ans, au désert du Sinaï, que Moïse a transformé des tribus (longtemps captives en Égypte) en un peuple auquel est confiée la mission de faire advenir le règne de Dieu.

Dans le récit de l'évangile, Luc n'utilise pas le symbolisme des 40 jours. Pourquoi situe-t-il l'Ascension au soir même du jour de Pâques? On pourrait faire un parallèle avec le récit de Jean qui parle du don de l'Esprit au soir de Pâques. Alors que les Actes le situeront à la Pentecôte, 50 jours après Pâques. Tous deux font sans doute écho à la catéchèse des premières communautés chrétiennes qui voulait bien marquer que résurrection, retour vers le Père et envoi de l'Esprit sont les aspects d'une seule et unique réalité. On peut comparer cela à la conception, la gestation et la naissance d'un enfant : trois événements qui se succèdent dans le temps mais qui en forment un seul. Un nouvel être humain est venu au monde. Et bien, résurrection, ascension et pentecôte sont trois événements d'une unique réalité, celle de Jésus : qui est vivant, ressuscité de la mort (c'est Pâques), qui vit maintenant auprès du Père (c'est l'Ascension), mais demeure pourtant présent à ses disciples par son Esprit (c'est la Pentecôte).

*Voici les paroles que je vous ai dites*
*quand j'étais encore avec vous :*
*il faut que s'accomplisse tout ce qui a été écrit*
*à mon sujet, dans la* **Tora** *de Moïse,*
*les Prophètes et les Psaumes.*

Revenons maintenant à cette dernière leçon, cette ultime catéchèse que Jésus donne à ses apôtres. Il revient sur des choses qu'il a dites mais qui, semble-t-il, n'ont pas été comprises. Après trois ans d'apprentissage comme disciples, malgré la présence quotidienne de Jésus parmi eux, les apôtres sont encore loin d'être chrétiens... et Jésus doit encore ouvrir leur cœur pour qu'ils comprennent le pourquoi de sa mort.

L'ultime repas du Jeudi a été marqué par cette terrible solitude de Jésus à quelques heures de son arrestation. Nous avons présents à l'esprit et la trahison de Judas et le reniement de Pierre. Mais les autres disciples ne sont pas plus brillants. Alors que Jésus est en train de leur dire : « Voici : la main de celui qui me livre se sert à cette table avec moi », que font les apôtres ? Écoutent-ils anxieusement, atterrés par ces paroles ? Non, voici qu'ils commencent à se quereller pour savoir lequel d'entre eux est le plus grand. Alors Jésus leur redit une nouvelle fois :

> Les rois des nations dominent en maîtres sur elles. Pour vous, que celui qui dirige soit comme celui qui sert. (Lc **22**,21-26)

Servir et aimer avec une bonté totale et sans exclusion, humblement, voilà, pour Jésus, le secret de la vie. C'est la note spécifique du message de Jésus que cette priorité absolue à la bonté généreuse.

Pour Jésus, miséricorde et pardon sont plus importants que la justice : la justice (au sens de la Bible) qui doit être comprise comme étant la droiture du cœur, l'accomplissement des préceptes qui nous indiquent comment vivre droitement. Non pas que Jésus enseigne que la droiture n'est pas importante. Il a redit qu'il était venu pour accomplir la Règle de conduite donnée par Moïse : « Tu ne voleras pas, tu ne tueras pas, tu respecteras père et mère. » (*cf.* Ex **20**,13ss). Mais les Dix grandes Paroles de la *Tora* — et à plus forte raison les 613 préceptes qui explicitent cette Règle de vie — tout cela doit être vécu dans l'amour. Paul résumera la pensée de Jésus :

L'accomplissement de la *Tora*, c'est l'amour inconditionnel. (Rm **13**,10)

Et quand ces préceptes viennent en contradiction
avec l'amour du prochain, il faut vivre la miséricorde,
la bonté, avant même l'obéissance à la Règle. Nous
nous souvenons de la question de l'observance du
repos du sabbat. Chaque fois que se présente un
malade qui a besoin d'être guéri, Jésus transgresse le
sabbat, désobéit à cette règle *parce que l'amour veut
guérir celui qui souffre*. Lorsque les pharisiens criti-
quent les apôtres, parce qu'ils grignotent des épis de
blé arrachés dans le champ, le jour du sabbat, Jésus
va dire avec force :

> Vous n'auriez pas condamné ces hommes qui ne sont pas
> coupables si vous aviez connu que c'est la miséricorde que
> Dieu veut... et non pas des offrandes. (Mt **12**,7)

> Vous les scribes et les pharisiens, que vous êtes malheu-
> reux ! Vous vous acquittez de la dîme mais vous avez
> laissé de côté le plus important de la Règle : la miséri-
> corde. (Mt **23**,23)

Jésus va même jusqu'à faire cette affirmation surprenante : « Les voleurs et les prostituées entreront
avant vous dans le règne de Dieu. » (*cf.* Mt **21**,31) Voilà
une affirmation bien choquante dans la bouche d'un
rabbi ! Pourquoi voleurs et prostituées entreront-ils
près de Dieu avant les gens qui sont justes ? Parce que
ceux qui se croient justes, et qui vivent en justes prati-
quants de la Règle, seront toujours tentés de croire que
leur bonne conduite leur *mérite* l'amour de Dieu. Les
voleurs et les prostituées ne peuvent pas se faire
accroire cela. Et à cause de cela, ils ne peuvent qu'ouvrir leur cœur et recevoir *gratuitement* l'amour de
Dieu. Ils ne peuvent vouloir *mériter* d'être aimés par
Dieu. D'ailleurs, on ne mérite jamais l'amour : pas plus
celui de Dieu que celui des humains. Vouloir mériter
l'amour, c'est comme si on voulait l'acheter. Souvent,

hélas, certains parents pensent acheter l'amour de leurs enfants en leur donnant des cadeaux. Vouloir mériter l'amour, par des gestes d'amour, est sans doute plus noble, mais tout aussi faux : car lorsqu'on veut mériter l'amour, on le tue. L'amour ne peut être que donné et reçu librement et dans la pure gratuité.

Les contemporains de Jésus qui se pensent choisis par Dieu pour leur bonne conduite — parce qu'ils prient et offrent des sacrifices — , qui pensent avoir des droits devant Dieu — parce qu'ils sont membres du peuple choisi — , ceux-là ne peuvent comprendre l'enseignement de Jésus, lui qui prêche que Dieu fait briller son soleil *sur les bons comme sur les méchants*. Si Dieu agit ainsi en offrant son amour à ceux qui sont mauvais, c'est parce qu'il est le Dieu de la vie. Il n'est pas le Dieu du jugement. Il n'a en tête que de pardonner, de redonner la vie à ceux qui sont morts spirituellement. C'est cette incompréhension du Dieu de Jésus — qui n'est qu'Amour et pardon — qui poussera l'élite religieuse à rejeter Jésus et à le poursuivre jusqu'à ce que lui et son enseignement soient condamnés. Lui, Jésus, n'aura pas d'autre réponse à ce rejet que de continuer à aimer de bonté, à vivre ce refus sans haïr ceux qui le rejettent, à leur donner sa vie comme un geste de pardon. Ce geste du don de soi-même est celui de la bonté qui nous sauve. Gandhi disait : « La violence de ton ennemi doit fondre au feu de ton amour. » Voilà ce que Jésus a voulu être : témoin jusqu'au bout de l'amour qui seul sauve notre âme.

### Ainsi il est écrit que le Messie souffrirait, qu'il ressusciterait d'entre les morts au troisième jour.

Pour tenter d'expliquer cette attitude, cette démarche du don de soi jusqu'au don de sa vie, Jésus va trouver la lumière dans les Écrits bibliques : il va faire revivre pour les disciples les textes sur la miséricorde de Dieu. Déjà, il avait emmené Pierre, Jacques et Jean sur la montagne, comme pour une sorte de retraite fermée : et là il avait été transfiguré devant eux, alors qu'il conversait avec Moïse et Élie. Et de quoi parlaient-ils ? De son départ (c'est-à-dire de sa mort) qui allait s'accomplir à Jérusalem. Or Moïse et Élie ont tous les deux fait l'expérience, sur le Sinaï, que Dieu n'est que miséricorde (*cf.* Ex 34,6).

Sur le chemin d'Emmaüs, c'est la même leçon qui est donnée aux deux disciples et qui rend leur cœur tout brûlant :

> Cœurs lents à croire ! Ne fallait-il pas que le Messie souffre pour être transfiguré par l'amour, ressuscité par l'amour ? (Lc 24,25-26)

C'est que ce sens de la mort par amour ne se comprend pas d'abord par l'intelligence de la raison, mais par l'intelligence du cœur. Le cœur, dans son sens biblique, qui décrit le lieu le plus intime de la personne : là où se prennent les décisions les plus profondes qui engagent la vie. Pour comprendre pourquoi Jésus a dû passer par la mort pour entrer dans la plénitude de Dieu, il faut soi-même entrer dans la pratique concrète de l'amour et du pardon. Pour entrer dans le sens de la mort de Jésus, il faut soi-même prendre le même chemin, vivre la même réalité. On ne comprend bien l'amour inconditionnel qu'en aimant gratuitement. Tout l'Évangile ne dit que cela.

Au soir de Pâques, Jésus veut faire *re-surgir* ses propres paroles de la mémoire du cœur de ses disciples. Les paroles qu'il a dites chaque fois qu'il a annoncé sa mort :

> Il faut que le Fils de l'homme souffre et soit rejeté... Si quelqu'un veut venir à ma suite, qu'il prenne le chemin de la croix... (Lc 9,22-23)

Pour entrer dans le mystère de la mort de Jésus, il faut devenir humble et bon jusqu'au pardon. Et nous retrouvons les mêmes incompréhensions des siens :

> Ils ne comprenaient pas ces paroles. Elles leur restaient voilées et ils ne savaient pas ce que Jésus voulait dire. (Lc **9**,45)

Et nous retrouvons la même discussion entre les disciples qui marque leur incompréhension :

> Lequel d'entre nous est le plus grand ? (Lc **9**,46)

Certes, le plus grand peut sans doute être capable d'agir avec justice, droiture envers les autres, mais seul le petit, l'humble peut aimer gratuitement et pardonner sans blesser l'autre. Il pardonnera en effet avec miséricorde et compassion, et non avec condescendance ou selon une justice qui exige la réparation du fauteur.

Compatir, cela veut dire partager la souffrance de l'autre. On ne peut compatir que si l'on est soi-même pauvre et sans puissance. François Varillon le disait très bien :

> Celui qui ne souffre pas n'aide qu'à moitié celui qui souffre. Chacun le sent confusément, redoutant, s'il est dans la peine, de n'avoir d'autre secours que des voisins comblés. Voisins peut-être mais ils ne sont pas proches.

Gandhi disait : « L'amour est ce qu'il y a de plus fort au monde, cependant on ne peut rien imaginer de plus humble. » Voilà ce que Jésus ne cesse de vouloir faire comprendre, aussi bien à ses disciples d'autrefois qu'à nous ses disciples d'aujourd'hui. Seul celui, celle qui a conscience d'être vivant par l'amour de Dieu — de Dieu qui lui pardonne sans cesse ses faiblesses, ses manques d'amour —, seul celui, celle qui a conscience d'être un « gracié », par la miséricordieuse bonté du Père, seul celui-là, celle-là peut comprendre pourquoi Jésus a choisi de livrer sa vie.

### Vous en êtes témoins.

De quoi les disciples seront-ils les témoins ? L'Évangile dit : témoins de la conversion et du pardon. Qu'est-ce que la conversion ? Le mot veut dire : changer de direction. Les sportifs du ski savent cela, eux qui font des « conversions » pour changer de parcours à 180 degrés.

Pour Jésus, de quel changement de direction s'agit-il ? Ce ne peut pas être le changement qui s'opère dans celui qui passe de l'état d'incroyant à l'état de quelqu'un qui découvre la foi. En effet, à son époque, Jésus n'est entouré que de croyants. Peut-être est-ce le changement de celui qui menait une vie sans morale, immorale, et revient à une vie plus honnête. Mais Jésus propose la conversion aux pharisiens qui sont précisément des gens honnêtes, droits, justes. Alors, pourquoi ne pas voir la conversion comme le changement majeur, selon Jésus, qui est de passer d'une vision du Dieu de justice à une vision du Dieu de gratuité ? La justice, c'est l'équité : tu as bien agi, tu seras récompensé ; tu as mal agi, tu seras justement puni... « On vous a dit œil pour œil... » (Ex 21,24) Mais Jésus propose précisément une autre attitude : « Moi je vous dis de pardonner... » (*cf.* Mt 5,44)

Jésus propose à ses disciples une autre justice, une autre droiture que celle de l'équité :

> Si votre justice ne surpasse pas celle des pharisiens, vous n'entrerez pas dans la paternité de Dieu. (Mt 5,20)

La justice ne pardonne pas : elle fait payer, elle fait acquitter la dette... par des réparations, des punitions. La justice fait aussi mériter l'amour, la reconnaissance... Au contraire, la gratuité, l'amour gratuit, la grâce, c'est donner sans compter et *par-donner* jusqu'à 77 fois 7 fois, c'est-à-dire toujours.

Voilà la conversion nécessaire pour nous faire vivre le pardon. Et c'est là le témoignage que les disciples de Jésus doivent donner. Notre monde est un monde de compétition, où chacun doit performer pour prendre sa place au soleil, un monde où chacun revendique ses justes droits... un monde où tout se calcule et se mérite. C'est souvent ce monde de compétition et de performance qui suscite l'attitude suicidaire des jeunes, peut-être parce qu'ils se sentent incapables de mériter l'estime des autres : parents, professeurs. Mais notre monde connaît aussi beaucoup de gestes de gratuité et de pardon. Des gestes de pardon héroïque comme celui de ces parents qui pardonnent au jeune meurtrier de leur fille, des pardons, plus cachés peut-être, comme celui de cette femme qui accueille son mari vieux et malade, alors qu'il l'avait abandonnée pour une autre depuis 20 ans. Notre monde est aussi plein de gestes de bénévolat : et pas seulement accomplis par des gens de l'âge d'or. Il y a de nombreux jeunes qui aident gratuitement des enfants en difficulté au plan scolaire. Nous devrions davantage faire connaître ces gestes.

Comme témoins de Jésus, nous devons aussi vivre cette gratuité des relations. Nos petits groupes chrétiens ne seraient-ils pas davantage prophétiques s'ils étaient des lieux, des milieux de gratuité, là où chacun est accepté sans condition, tel qu'il est, telle qu'elle est ? Oui, il y a une nécessité de ces petits groupes, de ces petites communautés. Nous n'avons pas à témoigner que nous sommes devenus parfaits ! Ce serait hypocrisie et suffisance. La phrase de Jésus : « Soyez parfaits comme votre Père est parfait » (Mt 5,48) n'a pas le sens d'une perfection morale, d'une perfection de la conduite. Luc l'a justement traduite : « Vous serez miséricordieux comme votre Père est miséricordieux. » (Lc 6,36) Et bien, cette miséricorde, nous la vivrons et nous en témoignerons grâce à l'Esprit :

> Voici que moi j'envoie sur vous la promesse de mon
> Père. Restez dans la ville jusqu'à ce que vous soyez revê-
> tus de la force d'en haut. (v. 49)

On ne peut être disciple de Jésus sans accueillir son
Esprit qui est sa présence parmi nous. Et il est illu-
soire de croire qu'on peut être chrétien sans vivre de
l'Esprit de Jésus. Non parce qu'on aurait besoin d'un
plus fort du fait qu'on n'est qu'un pauvre pécheur.
Mais parce qu'on ne peut aimer l'autre que si —
d'abord — on s'est laissé aimer. Et la source de tout
amour est Dieu, son Esprit. Certes, il y a des gens
incroyants qui sont animés par l'Esprit : ils l'ont
accueilli parce qu'ils ont accueilli l'amour à travers
leur prochain. Mais le disciple de Jésus a cette chance
de connaître l'Esprit qui veut l'inonder d'amour.

Il doit savoir se préparer le cœur à recevoir la force
de cet amour. Cette préparation porte le nom de :
*prière*. Nous passons trop souvent l'essentiel de notre
prière à présenter des demandes. Or la prière est un
cœur à cœur où c'est le silence qui est l'essentiel :
« Restez assis dans la ville jusqu'à ce que vous soyez
revêtus de la force d'en haut. » (v. 49) Le verbe suggère
bien cette sorte de retraite silencieuse que les disciples
ont faite et que le livre des Actes raconte :

> À leur retour, ils montèrent dans la chambre haute où ils
> se retrouvèrent. Il y avait là : Pierre, Jean, Jacques et
> André ; Philippe et Thomas ; Barthélémy et Matthieu ;
> Jacques fils d'Alphée et Simon le zélote et Jude fils de
> Jacques. Tous, unanimes, étaient assidus à la prière, avec
> quelques femmes dont Marie la mère de Jésus.
> (Ac 1,13-14)

Cette consigne de « demeurer dans la prière » vaut
aussi pour nous. C'est dans ce silence plein d'écoute et
d'accueil que la force divine de la miséricorde nous
sera donnée. Voilà le témoignage des disciples de
Jésus, hier et aujourd'hui : « être des sanctuaires de

miséricorde » parce qu'ils auront écouté, dans le silence, la Parole du Seigneur Jésus que l'Esprit Saint aura fait revivre pour eux.

\*

\*    \*

*Jésus, toi qui vis pour toujours de l'amour du Père,*
*tu me redis chaque matin « Paix à toi ! »*
*Guide-moi pour que se crée en moi*
*le silence intérieur qui aide à saisir ta bonté :*
*un silence rempli des seuls mots de la tendresse,*
*comme le faisait la petite Thérèse :*
*« Je ne lui dis rien, je l'aime ! »*

## QUESTIONS DE COMPRÉHENSION ET D'APPROPRIATION

1. Quel est le symbolisme du chiffre 40 ?
2. Qu'est-ce qui est dit du messie dans la *Tora* et les autres Écrits ?
3. Qu'est-ce que veut dire concrètement accomplir la *Tora* de Moïse, les Prophètes et les Psaumes ?
4. Peut-on mériter l'amour de Dieu ?
5. Quelle vision de Dieu soutenue par Jésus est-elle rejetée par les autorités religieuses juives ?
6. Ouvrir l'intelligence à la compréhension des Écritures, qu'est-ce que cela signifie ?
7. À quelle conversion Jésus appelle-t-il ses disciples ?
8. De quoi les disciples sont-ils faits les témoins ?
9. Quelle est cette force d'en haut que les disciples doivent attendre ?
10. Comment vivre de miséricorde ?

## Fête de la Pentecôte
## Actes 2,1-36 passim

### Selon l'écrit
### des ACTES DES APÔTRES

Quand arrive le jour de la Pentecôte, [les disciples] sont tous ensemble au même endroit. Soudain, il vient du ciel un son fracassant comme un vent violent qui se met à souffler. Il remplit toute la maison où ils sont assis. Alors leur apparaissent comme des langues de feu qui se partagent et il s'en pose sur chacun d'eux. Tous sont remplis du Souffle saint et ils se mettent à parler en d'autres langues comme le Souffle spirituel leur donne de s'exprimer.

Or, à Jérusalem, habitent des Juifs pieux originaires de toutes les nations qui sont sous le ciel. Quand cette voix retentissante se produit, une foule se rassemble; elle est en pleine confusion car ils les entendent parler chacun dans sa propre langue. Ils sont stupéfaits; ils s'étonnent et disent : « Ces gens qui parlent ne sont-ils pas tous Galiléens ? Comment se fait-il que nous les entendions chacun dans la propre langue dans laquelle nous sommes nés : Parthes, Mèdes et Élamites; ceux qui habitent la Mésopotamie, la Judée et la Cappadoce, le Pont et l'Asie, la Phrygie et la Pamphylie, l'Égypte et les contrées de la Lybie cyrénaïque; et les Romains qui résident ici; Juifs et prosélytes, Crétois et Arabes ? Nous les entendons, dans nos langues, parler des merveilles de Dieu. » Tous, ils sont stupéfaits et ils se disent l'un à l'autre, tout perplexes : « Qu'est-ce que cela veut signifier ? » D'autres se moquent en disant qu'ils sont pleins de vin doux.

Pierre, avec les Onze, se lève et il élève la voix pour s'adresser à eux : « Hommes de Judée et vous tous qui habitez Jérusalem, vous devez connaître cela : prêtez l'oreille à mes paroles. ... Jésus le Nazôréen, que Dieu

On trouvera le commentaire de l'Evangile Jn 20,19-23 au 2ᵉ dimanche de Pâques.

a désigné pour vous par des miracles, des prodiges et des signes que Dieu a faits par lui au milieu de nous, vous l'avez livré et supprimé en le faisant crucifier par la main des « sans-loi »... Ce Jésus, Dieu l'a ressuscité, nous tous en sommes témoins... Que tout le peuple d'Israël le sache avec certitude : Dieu l'a fait Seigneur et Christ, ce Jésus que vous, vous aviez crucifié. »

Cet événement se déroule lors de la fête juive de la Pentecôte. La Pentecôte (le mot grec signifie 50) est célébrée sept semaines après la Pâque. C'est le 50ᵉ jour et les Juifs célèbrent en ce jour la fête de la moisson des blés. Mais ils font aussi mémoire de l'alliance du Sinaï où Moïse a reçu la Charte du peuple de Dieu : la *Tora*. Dans le livre de l'Exode, on décrit cette célébration de l'Alliance :

> Moïse convoqua tous les Anciens du peuple et il exposa devant eux toutes les paroles que le Seigneur lui avait données. Tout le peuple répondit d'un même cœur : « Tout ce que le Seigneur a dit, nous le ferons. » (Ex **19**,7-8)

Voilà comment fut scellée entre Dieu et ses fidèles une alliance de communion. Et un commentaire juif souligne cette unanimité entre les fidèles :

> « Lorsqu'ils étaient tous au mont Sinaï pour recevoir la *Tora*, ils étaient tous un seul cœur pour accepter avec joie la règle du règne de Dieu. »

Cet engagement dans l'alliance, la fête de Pentecôte le renouvelle chaque année en invitant chaque Juif à faire serment d'être fidèle aux Paroles de Dieu. Si Luc reprend des éléments de la description de l'Alliance dans l'Exode, c'est pour faire de ce jour de Pentecôte la célébration de l'alliance nouvelle qui a été scellée en et par Jésus. Il note que les disciples sont « tous ensemble dans le même lieu » et dans le premier chapitre, il écrit : « Tous, d'un même cœur, sont persévérants dans la prière. » (Ac **1**,14)

### Soudain, il vient du ciel un son fracassant comme un vent violent qui se met à souffler.

Si nous reprenons le récit de l'Exode, qu'y lisons-nous?

> Dès le matin, il y eut des tonnerres, des éclairs, un son de cor très fort. Le mont Sinaï était tout fumant. Le Seigneur était descendu sur la montagne dans le feu. (Ex 19,16.18)

C'est là que Dieu va donner à Moïse les dix grandes paroles de la *Tora*. Comment comprendre le lien entre les tonnerres, les éclairs et le don des Dix Paroles de la *Tora*? C'est notamment dans les commentaires juifs qu'on appelle les *Targum*, qu'on trouve des descriptions du don de la *Tora* qui vont nous faire comprendre la scène que Luc décrit.

Précisons d'abord quelques mots juifs que nous utilisons. Le mot *Tora* est habituellement traduit par Loi. C'est ainsi qu'on a traduit *Tora* dans la Bible grecque des Septante. Mais ce mot a plutôt le sens d'un Enseignement qui indique une *direction* pour bien vivre selon l'Esprit de Dieu. La *Tora* prescrit comment agir pour marcher dans le droit chemin. On pourrait peut-être traduire *Tora* par *Règle*: la Règle d'une vie droite. Les *Targum* sont les traductions araméennes que les paraclets faisaient des textes hébreux de la Bible. À la synagogue, le texte sacré était lu en hébreu (langue qui n'était plus courante) et un paraclet le traduisait dans la langue parlée (l'araméen). Cette traduction était souvent une sorte d'interprétation, de commentaire. Voici un texte qui est tiré du *Targum Yerushalmi* et qui commente le don de la *Tora*:

> Lorsque la première Parole sortit de la bouche du Dieu Saint, c'était comme des éclairs et des lampes de feu, une lampe de feu à sa droite et une lampe de feu à sa gauche. L'éclair volait dans l'air des cieux et se gravait sur les deux Tables de l'Alliance. Et la voix disait aux enfants

d'Israël : « Mon peuple, je suis le Seigneur votre Dieu qui vous ai libérés de la servitude. » Et la deuxième Parole, lorsqu'elle sortit de la bouche du Dieu Saint, c'était comme un éclair.

Et le texte fait la même description pour chacune des dix Paroles. Lorsqu'il est dit dans le livre de l'Exode : « Tout le peuple voyait les tonnerres et les éclairs » (Ex **20**,18), l'écrivain juif Philon commente :

> « Une voix retentissait du milieu du feu venu du ciel, dont la flamme se transformait en langage adapté aux auditeurs : les paroles étaient si claires qu'on avait l'impression de les voir. »

Et un autre commentateur, Johannan, précise :

> « La voix sortit et se partagea en soixante-dix voix, en soixante-dix langues de façon que tous les peuples l'entendent. Et chaque peuple entendit la voix dans sa propre langue. »

On comprend comment ce commentaire a pu inspirer Luc pour traduire l'expérience spirituelle que vont faire les disciples en cette fête juive de Pentecôte. Cette fête rassemble à Jérusalem un grand nombre de pèlerins : ceux qui viennent de la Judée et de la Galilée mais aussi ceux qui sont venus de tous les pays de la Méditerranée, pays où ils ont immigré pour faire du commerce. Ces pèlerins sont tous ou juifs de naissance ou des païens convertis. Luc y ajoute aussi des romains (des païens) qui font partie de l'armée d'occupation puisque le pays est occupé par Rome depuis près de 100 ans. Au jour de l'Ascension, Luc a bien souligné la mission donnée par Jésus : « Proclamez le message de conversion et de pardon à toutes les nations. » Dès cette Pentecôte, des représentants de toutes les nations qui sont sous le ciel sont présents à Jérusalem et c'est là un symbole pour dire que le message de l'Évangile devra être annoncé à l'humanité entière.

**Alors leur apparaissent comme des langues de feu qui se partagent et il s'en pose sur chacun d'eux. Tous sont remplis du Souffle saint**

Pour décrire cette nouvelle Pentecôte, Luc va donc reprendre ces images de l'Exode. C'est un procédé fréquent dans les livres bibliques. On utilise des images qui parlent aux gens auxquels on s'adresse. C'est pourquoi la présence de l'Esprit divin va être décrite par un grand fracas (une voix retentissante), puis par l'apparition de langues de feu. Mais, pour Luc, ces langues de feu — qui symbolisaient les Paroles de la *Tora* dans le commentaire de l'Exode — sont maintenant le symbole du Souffle divin venant en chacun des disciples.

Comment se fait ce passage des Paroles de la *Tora* à l'Esprit divin ? Il faut ici se souvenir des prophètes. Jérémie avait dit :

> Voici que viendront des jours où je conclurai une nouvelle alliance. Je déposerai mes préceptes au fond des êtres en les inscrivant sur leur cœur. (Jr **31**,31-33)

Et plus tard, le prophète Ézéchiel dira :

> Je vous donnerai un cœur nouveau, je mettrai en vous un souffle spirituel nouveau. J'enlèverai de votre corps le cœur de pierre, je vous donnerai un cœur de chair. Je mettrai en vous mon propre souffle spirituel et je vous ferai marcher selon mes préceptes. (Éz **36**,26-27)

Dans ce jour de Pentecôte qui suit le départ de Jésus, c'est donc l'accomplissement des Écritures. L'Esprit, le souffle d'amour promis par Jésus pour sceller la nouvelle alliance, se manifeste et il vient envahir les disciples de Jésus. C'est une alliance nouvelle qui ne repose plus seulement sur l'observance honnête des préceptes mais sur une *communion d'esprit* avec le Père. Comme Jésus a vécu, inspiré par le souffle spirituel de Dieu, ainsi va-t-il donner à ses disciples de vivre, par son esprit qu'il insuffle en eux. Ce qui fait vivre le disciple en fils, en fille de Dieu-Père, ce n'est pas une obéissance servile à des règles, mais une communion de volonté, d'esprit, qui fait vivre avec Dieu et rechercher avec Lui ce qui est bon, et ce qui nous fait grandir comme un être libre et aimant.

### Ils se mettent à parler en d'autres langues.

Est-ce qu'il s'agit ici du phénomène du « parler en langues » qui existe dans les groupes charismatiques d'aujourd'hui? Paul déjà parlait de ce phénomène charismatique dans la Lettre aux Corinthiens. Il s'agit, dans ces groupes, de gens qui profèrent des sons souvent harmonieux mais le plus souvent inintelligibles et qui doivent être interprétés par quelqu'un qui en a reçu le don (*cf.* 1Co **12**,10.30).

> Celui qui parle en langues s'édifie lui-même mais celui qui prophétise édifie l'assemblée. Je souhaite que vous parliez tous en langues mais je préfère que vous prophétisiez. Celui qui prophétise est supérieur à celui qui parle en langues, à moins que ce dernier n'en donne l'interprétation pour que l'assemblée [l'Église] soit édifiée. Supposez que je vous parle en langues : en quoi vous serai-je utile, si ma parole ne vous apporte ni révélation, ni connaissance, ni prophétie, ni enseignement? Si je prie en langues, mon esprit est en prière mais mon intelligence est stérile. (1Co **14**,4-6.14)

Dans cet événement de la Pentecôte, ce sont les apôtres qui parlent en d'autres langues et chacun les entend parler dans sa langue : « Nous les entendons parler en nos langues des merveilles de Dieu. »

Quel est le sens de ce symbole? On peut l'interpréter ainsi : le message de Jésus devra être annoncé et vécu dans la langue de chacun, dans sa culture. Le message d'amour et de bonté doit rejoindre chaque personne dans ce qu'elle vit, dans ce qui fait son univers personnel. Le missionnaire de Jésus devra donc rejoindre chaque personne en parlant son langage, en communiant à ce qui fait sa vie, ses joies et ses peines, ses valeurs et ses espérances. Pour apprendre le latin à John, il ne faut pas seulement connaître le latin, il faut aussi connaître John. Pour apprendre l'Évangile à Jean, il faut d'abord, bien sûr, connaître l'Évangile. (On ne connaît vraiment l'Évangile que si on en vit quotidiennement, dans la mesure où l'Évangile inspire nos gestes les plus simples de tous les jours.) Mais connaître l'Évangile ne suffit pas, il faut aussi connaître Jean. Connaître Jean, c'est devenir capable de le rejoindre dans son langage, dans ses intérêts, dans sa recherche.

D'autre part, la connaissance de l'autre n'est pas vraie si elle ne va que dans un seul sens. Connaître l'autre, c'est partager *et ce* qui le fait vivre *et ce* qui nous fait vivre, dans un dialogue à la fois nourri d'un intérêt vrai et respectueux pour ce que l'autre pense et vit, mais aussi un dialogue passionné de partager le message de Jésus en témoignant de la joie qu'il met en notre cœur.

> Ce Jésus, Dieu l'a ressuscité, nous tous en sommes témoins... Que tout le peuple d'Israël le sache avec certitude : Dieu l'a fait Seigneur et Christ. (Ac **2**,36)

Mais, quand il s'agit d'être témoin d'une personne passionnément aimée, témoignage doit toujours rimer avec respect et discrétion. Le chrétien n'est pas celui qui *apporte* le Christ aux autres, mais celui qui — avec une infinie pudeur — rayonne de son amour pour lui, ou plutôt de l'amour indicible dont il se sait aimé du Christ. Maurice Zundel traduisait cela ainsi :

> C'est par là que nous serons universels, que nous n'imposerons rien, que nous ne prétendrons à rien, que nous ne voudrons rien réformer, rien enseigner ; car il n'y a pas à enseigner l'Amour, ni à enseigner une Personne, il y a à la rendre présente dans la totale démission de soi.
> (*Revue Nouveau Dialogue* # 120, p. 29)

### *Tous, ils sont stupéfaits et ils se disent l'un à l'autre, tout perplexes : Qu'est-ce que cela veut signifier ?*

Parler la langue des autres, c'est donc partager la vie de ceux qui nous entourent pour y retrouver la présence de ce souffle spirituel qui vient de Dieu. Et cela dans le vécu le plus ordinaire, le plus quotidien : un geste humain plein de bonté, c'est l'Esprit de Dieu qui fait vivre ce frère, même si lui-même ne connaît pas Dieu ; un geste de pardon généreux, c'est l'Esprit de Dieu qui anime cette sœur, même si elle est d'une autre religion. C'est là que Dieu se trouve et c'est là que nous pouvons Le rejoindre. Parler la langue de l'autre, c'est développer avec lui des liens d'amitié gratuite. C'est aller au-delà des impressions superficielles qui caricaturent ce qu'est l'autre et qui nous empêchent de le connaître en ce qu'il est intérieurement. Parler la langue des autres, c'est être solidaire de leurs souffrances et partager leur lutte pour plus de justice.

Ce dialogue, entre croyants de diverses religions et entre croyants et incroyants, est le premier témoignage qui nous est demandé comme disciples de Jésus. C'est la première pierre à poser pour bâtir la paix, pour travailler à ce que le règne du Dieu d'amour et de communion vienne sur terre. C'est ce que dit une *Lettre des Patriarches catholiques d'Orient* à propos du dialogue chrétien-musulman :

> Nous disons au chrétien : libère-toi des illusions et de l'ignorance et efforce-toi de comprendre ce qu'est l'Islam et qui est le musulman. Ne t'arrête pas à des clichés colportés ou à des informations superficielles qui déforment la vérité. Cherche ce qui est positif et qui peut aider à la collaboration.
>
> Au musulman, nous disons de même : libère-toi des illusions et des préjugés. Efforce-toi de connaître ce qu'est le christianisme et qui est le chrétien. Ne te contente pas d'idées superficielles et déformantes ; essaie de voir la

réalité vécue au jour le jour, afin de connaître ce qui se passe et afin de pouvoir prévenir les heurts et répandre la tranquillité dans toute la société.

Et au chrétien et au musulman ensemble nous disons : Vous n'êtes pas des ennemis l'un pour l'autre ; aucun de vous ne constitue une menace pour l'autre dans son existence, ou un obstacle pour sa croissance. Au contraire, l'autre est le frère, l'ami, le voisin et le partenaire : par sa richesse tu t'enrichis et à mesure qu'il croîtra tu pourras croître.

Les tragédies de certaines guerres religieuses nous disent l'urgence de ce message. Tout cela requiert un dialogue permanent et une rencontre fraternelle pour se reconnaître l'un l'autre loin des catégories toutes faites et des idées préconçues. Ce qui est dit du dialogue chrétien-musulman peut être aussi valable pour le dialogue entre chrétiens, pour le dialogue entre voisins, entre compagnons de travail, entre membres d'une même famille. Et notamment pour le dialogue entre gens de races différentes, ici même, dans notre pays.

Au-delà des disputes de famille, des conflits entre compagnons de travail, des querelles entre gens d'options politiques différentes, l'Esprit de Dieu veut faire l'unité de tous, en respectant chacun dans sa propre personnalité, dans sa diversité. Chaque année, 40 000 personnes immigrées s'établissent dans la région de Montréal. C'est là un chantier où la Pentecôte peut se vivre par les chrétiens. Sans cette immigration, nous ne connaîtrions pas de près les croyants de l'hindouisme, du bouddhisme et de l'islam. Certains de ces immigrants parviennent assez bien à s'intégrer. D'autres ont de grandes difficultés et vivent une certaine exclusion. Pour nous, disciples de Jésus, l'étranger doit être avant tout une personne, quelqu'un qui a besoin d'un minimum de sécurité, de tendresse, de respect et d'amour. La fraternité, à laquelle nous appelle l'Évangile, nous invite à découvrir que nous sommes différents certes, mais surtout semblables ;

dans l'autre, il y a quelque chose de moi ; dans l'autre, il y a quelque chose de Dieu.

### *Hommes de Judée et vous tous qui habitez Jérusalem, vous devez connaître cela : prêtez l'oreille à mes paroles.*

Voilà comment Luc définissait la mission confiée par Jésus à ses disciples : « On prêchera la conversion et le pardon à toutes les nations. » (Lc 24,47) Cette mission d'unité est inséparable de la mission de réconciliation. Pour réunir dans l'unité, pour apporter la paix entre les hommes et dans les cœurs, il ne suffit pas de « crier ciseaux », de chanter des alleluia ! Le monde est un monde où le mal règne. La bonté n'est pas toujours contagieuse. La non-violence de Jésus, de Gandhi, de Luther King a provoqué la violence de ceux qui les ont mis à mort. Le disciple de Jésus n'est pas meilleur que ses prochains. Tous, nous sommes pécheurs. Mais tous nous sommes capables d'accueillir l'Esprit divin qui est pardon et paix et dont la résurrection de Jésus nous assure qu'il est vainqueur de l'esprit du mal. Il nous faut pour cela demeurer en Dieu, demeurer dans la prière pour que vienne en nous cette force d'en haut qui nous revêt de la puissance de Dieu. Cette force divine nous est donnée, à nous chrétiens, comme à tous les êtres qui l'accueillent. Jésus lui-même ne peut jamais être considéré comme notre propriété :

> Comme le souffle, Il se donne à ceux qui respirent. Comme la lumière, Il se donne à ceux qui ouvrent les yeux. Comme l'amour, Il est au cœur de ceux qui aiment. (J.Y. Leloup, *L'absurde et la grâce*, p. 264)

Même s'Il est appelé de divers noms, Dieu est l'Unique et le Même. Il est « Celui-qui-est », comme le dit la Bible. Il est dans l'infini des cieux et dans le secret de chaque cœur. Il est en tout ce qui existe et Il est la source de l'union de tous ceux qui s'unissent. Que demander à son Esprit, sinon de l'aimer assez pour aimer tous ceux qui l'aiment? Même s'ils le prient et le pensent autrement que nous, même s'ils l'ignorent et ou le rejettent parce qu'ils le méconnaissent? Demandons à l'Esprit de mettre en nous cette soif de fraternité universelle pour bâtir avec lui le règne de Dieu sur cette terre.

*

* *

*Seigneur Jésus, insuffle ton Esprit d'amour*
*en mon cœur fermé et je serai sauvé.*
*Souffle en moi la flamme qui dira au monde*
*ta bonté généreuse et ton amour toujours gratuit.*
*Que ta Parole, langue de feu, se fixe en mon cœur*
*et lui apprenne le bonheur.*
*Bonheur de ta liberté, bonheur de ton dialogue*
*qui fait qu'aucun n'est un étranger*
*mais devient un prochain à aimer.*
*Que je sache reconnaître partout*
*et toujours ta présence vivante de ressuscité,*
*vainqueur du mal et de la mort. Amen!*

# QUESTIONS DE COMPRÉHENSION
## ET D'APPROPRIATION

**1.** Que signifie le mot Pentecôte? À quelle fête juive fait-il référence?

**2.** Que peut bien signifier ce décor digne de la machinerie d'un théâtre d'opéras?

**3.** Qu'est-ce que la *Tora*? Comment ce mot est-il traduit habituellement et comment devrait-il être traduit aujourd'hui?

**4.** Pourquoi Luc reprend-il des images de l'alliance prises dans le livre de l'Exode et les *Targums* pour décrire cet événement de la Pentecôte?

**5.** Comment interpréter: «Nous les entendons en nos langues»? Est-ce le même phénomène que le «prier en langues» des groupes charismatiques?

**6.** Pourquoi le dialogue interreligieux, et même plus simplement inter-chrétien, est-il si difficile à vivre?

**7.** Quelles sont les conditions d'un vrai dialogue entre des gens qui ne pensent pas de la même façon?

**8.** Pourquoi le dialogue interreligieux est-il important aujourd'hui?

**9.** Comment l'Évangile doit-il être annoncé par les chrétiens d'aujourd'hui?

## Fête de la Trinité
## Jean 16, 7.12-15

### ÉVANGILE DE JÉSUS
selon l'écrit de Jean

[À l'heure où il va quitter ce monde pour aller vers le Père, Jésus dit à ses disciples :]

« Il est avantageux pour vous que je parte. Si je ne pars pas, le Paraclet ne viendra pas vers vous ; si je pars, je vous l'enverrai.

J'ai encore beaucoup de choses à vous dire mais vous ne pouvez pas les porter maintenant. Quand il viendra, lui l'Inspirateur de la vérité, il vous guidera dans la pleine vérité. Il ne parlera pas de lui-même, mais il parlera de tout ce qu'il aura écouté et il vous annoncera les choses du monde à venir. Lui, il me glorifiera car il recevra de ce qui est à moi et il vous l'annoncera. Tout ce que le Père a, est mien et c'est pourquoi j'ai dit qu'il recevra de ce qui est à moi et qu'il vous l'annoncera.

Encore un peu et vous ne me verrez plus et encore un peu et vous me verrez. »

Ce bref passage du récit évangélique de Jean se situe lors du dernier repas de Jésus. On sait que ce récit de Jean consacre quatre chapitres à relater la conversation de Jésus avec ses disciples. Ces textes sont comme le testament du Maître à ses disciples, ses élèves. Ils seront désormais ses apôtres, ceux qu'il envoie dans le monde, comme lui-même, Jésus, a été envoyé par le Père. Ce testament ne sera pas d'abord un retour sur le passé, mais au contraire un regard sur l'*à-venir*. Jésus veut réconforter ses disciples et établir le mode de communion qui sera désormais le sien avec eux.

Fête de la Trinité ! Que dit-elle à de nombreux chrétiens, sinon le vague souvenir d'une arithmétique où 3 = 1, ce qui semble plutôt illogique ? Trois personnes, mais un seul Dieu. Dans le quotidien, bien des catholiques prient surtout Jésus. On a cependant fait des progrès, depuis le Concile, pour redonner une place à l'Esprit Divin dans la prière. Nos frères orthodoxes nous reprochaient à juste titre de ne pas donner la place nécessaire à l'invocation de l'Esprit dans la Prière eucharistique. Les nouvelles Prières eucharistiques ont corrigé cette lacune et elles nous font invoquer plus explicitement l'Esprit : « Sanctifie ces offrandes en répandant sur elles ton Esprit : qu'elles deviennent pour nous le corps et le sang de Jésus le Christ notre Seigneur. »

Mais il faut avouer que nous avons un peu de peine à bien situer la troisième personne de la Trinité : le Père est Père, et nous avons une certaine expérience de la paternité ; pour le Fils, Jésus est une personne terrestre que l'Évangile nous permet de connaître ; mais pour l'Esprit... On sait bien que le mot « esprit » dans la langue juive est le même que « vent », « souffle ». On a donc, pour exprimer l'esprit, l'image du souffle. On parlera du souffle spirituel. Ceux qui pratiquent les techniques où la respiration est liée à la méditation connaissent le souffle spirituel ; mais ceux-là ne sont pas la majorité des baptisés.

Pourtant ce que nous pouvons comprendre de Dieu est bien souvent lié à notre expérience humaine. Pour la pensée biblique, les gestes du monde invisible, du monde divin, se manifestent par des gestes humains et ces gestes humains deviennent pour nous des signes, des symboles du monde divin. Par exemple, le pardon entre humains est signe du Dieu qui pardonne. La mort par amour de Jésus est signe, symbole, sacrement de l'amour dont Dieu aime les humains. La paternité humaine est un signe qui nous dit qui est Dieu : un Père. « Que tout devienne sur terre comme au ciel ! » Que le divin s'unisse à l'humain !

**Il est avantageux pour vous que je parte.**
**Si je ne pars pas, le Paraclet ne viendra pas**
**vers vous; si je pars, je vous l'enverrai.**

Voilà le cadre de notre texte. Tant que Jésus était présent « terrestrement », il était le porte-parole de Dieu parmi les siens. Quand il ne sera plus visiblement présent, c'est le Paraclet qui prendra la relève. Qui est donc ce Paraclet et quelle expérience Jésus nous fait-il faire de l'Esprit? Rappelons les paroles de Jésus :

> Le Paraclet, l'Esprit saint, que le Père enverra en mon nom, Lui vous enseignera tout et vous fera faire mémoire de tout ce que je vous ai dit. (Jn 14,26)

Le Paraclet est donc l'Esprit Divin. Que veut dire ce mot de Paraclet? C'est un mot d'origine grecque (*paraclétos*) qui a été introduit dans la langue araméenne (*paraqlita*). En Israël, il désigne celui qui est *appelé pour venir à côté* de quelqu'un : ce peut être un assistant qui vient à vos côtés pour vous aider, un avocat qui parle pour vous dans un procès, un interprète qui vient à vos côtés pour traduire.

Il semble bien qu'ici, dans ce texte, lorsque Jésus parle de Paraclet, c'est qu'il donne à l'Esprit divin ce rôle d'interprète de la Parole de Dieu : « Il vous enseignera et vous fera faire mémoire. » Comment comprendre cela?

Il faut se souvenir qu'à l'époque l'enseignement se fait uniquement oralement, car les livres sont très rares et volumineux. Les livres-rouleaux se trouvaient à la synagogue, la maison de prière des Juifs. De plus, dans ces livres-rouleaux, il n'y avait primitivement que les consonnes qui étaient écrites (on n'inscrivait pas les voyelles). Imaginons un livre où l'on ne mettrait que les consonnes des mots : *MR* pourrait signifier aussi bien a**m**er, a**m**our ou ai**m**er, **m**er ou **m**ère, **m**ur ou **m**ûre, mais aussi é**m**ir, é**m**eri, etc. Il fallait donc savoir ce que le livre dit pour mettre les bonnes voyelles entre les consonnes; ce n'est que plus tard qu'on ajoutera les voyelles en dessous des lignes. Les lecteurs, à la synagogue, étaient donc des gens qui savaient par cœur les textes. Le rouleau avait comme rôle d'être un aide-mémoire. On se transmettait donc ce savoir oral sur les Livres bibliques de génération en génération.

Si, de nos jours, c'est la télévision qui est l'école principale, au temps de Jésus c'est par l'écoute qu'on apprend. On apprend par cœur des choses qui nous sont dites oralement. Si on ne les retient pas par cœur, on n'a pratiquement aucun moyen de les connaître, de les savoir. Pour tenter de comprendre cela, on peut penser à la façon dont se fait aujourd'hui la transmission des chansons. Peu d'entre nous lisent les paroles de ces chansons et cependant on les connaît parce qu'on les écoute et surtout parce qu'on les chante : en effet, la musique nous aide à retenir les paroles. Il faut ajouter qu'à l'époque de Jésus les livres sont en hébreu et peu de gens connaissaient l'hébreu. On parlait l'araméen, une langue voisine de l'hébreu. À la synagogue, on avait donc besoin d'avoir un traducteur, un interprète de l'hébreu à l'araméen. Cet interprète était appelé un paraclet.

Il y avait, au temps de Jésus, plusieurs lieux où se faisait l'apprentissage de la Parole de Dieu. Le premier lieu d'enseignement était la maison familiale. Le *père de famille* avait la tâche de transmettre la Parole sacrée de la Bible. Il transmettait ce que son propre père lui avait enseigné. Dans cette culture du peuple de la Bible, on est père, pas seulement parce qu'on a engendré physiquement mais parce qu'on engendre au plan du savoir, au plan des connaissances. Ainsi c'est le plus souvent le père qui apprend le métier à son fils. On est charpentier de père en fils, par exemple. Mais surtout le père transmet une sagesse de vie et la tradition sur Dieu. Prenons bien conscience de cela : à cette époque, on ne peut pas apprendre par soi-même (au moyen de livres, de cassettes) ; il faut avoir recours à quelqu'un qui transmet ce qu'il sait. Et il faudra garder toutes ces connaissances dans sa mémoire, car on ne peut guère consulter des notes écrites pour réviser ce qu'on a compris.

Le père est donc le premier pédagogue, le transmetteur du savoir et de la sagesse. On peut imaginer alors quel lien fort lie le fils à son père ! Lorsque nous entendons Jésus dire : « Ma nourriture, c'est de faire la volonté de mon Père » (Jn 4,34), il ne faut sans doute pas comprendre que Jésus est un simple exécutant des volontés du Père. Le mot obéissance veut dire *écoute*. Obéir, c'est être à l'écoute. Cette écoute jouait alors le rôle que joue la lecture aujourd'hui pour connaître quelque chose. Ou le rôle du visionnement lorsque le savoir passe par la télévision ou par l'Internet. Cette obéissance de Jésus est la manière d'aller à la source du savoir en étant à l'écoute du Père. La source de ma doctrine, dit Jésus, est celui qui m'envoie :

> Personne ne connaît le fils sinon le Père. Et personne ne connaît vraiment le Père sinon le Fils. (Mt 11,27)

C'est sans doute à partir de son expérience avec Joseph que Jésus peut décrire son expérience avec le Père divin. Pour Jésus, le Père premier est Dieu. Tous les autres pères ne sont que des relais de l'unique paternité. C'est sans doute contre les rabbis qui se faisaient appeler « Père » que Jésus dira :

> Vous n'aurez pas d'autres pères. Vous n'appellerez personne du nom de Père sur la terre, car vous n'avez qu'un père, celui des cieux. (Mt 23,9)

Si tel est le rôle du père, quel était le *rôle de la mère* dans cet apprentissage de la connaissance ? Le jésuite Marcel Jousse la voit comme la répétitrice de ce que le père a transmis. Elle berce son enfant au son des paroles bibliques, comme nos mères nous bercent en chantant des chansons du folklore, chansons dont nous allons conserver, dans la mémoire, les paroles... jusqu'à l'heure de notre mort. Ainsi, au moment où le jésuite François-Xavier se mourait en Chine, le jeune Chinois qui l'assistait a surpris sur ses lèvres des paroles étranges : c'était le parler de son patois *maternel*.

Pour Jésus aussi, les évangiles nous donnent son dernier cri « Éloï ! Eloï ! lama sabactani ! » émis dans sa langue maternelle : l'araméen. La langue de notre enfance, nous l'appelons notre langue *maternelle* et cela est symptomatique du rôle de la mère dans l'apprentissage du savoir. Ne serait-ce pas aussi pour dire qu'on commence à apprendre la langue dans le sein maternel ? Par rapport à Dieu, la mère n'a-t-elle pas le rôle d'un paraclet qui a accueilli la Parole divine et dont le rôle est de la redire en l'interprétant ? La mère n'est-elle pas aussi celle qui apprend à méditer la parole, à la ruminer pour l'intérioriser.

L'Évangile de Luc nous dit que Marie gardait, dans la mémoire du cœur (par cœur), les paroles et les événements qui concernaient Jésus. La mémoire du cœur est la mémoire la plus profonde de notre être, celle où se rejoignent l'intelligence et la volonté, celle qui nous permet d'agir en étant fidèles à ce que nous sommes profondément. Donnons quelques exemples.

Après la visite des bergers :

> Tous ceux qui les entendirent furent étonnés de ce que leur disaient les bergers. Quant à Marie elle retenait tous ces événements et les méditait dans son cœur. (Lc **2**,18-19)

Après les retrouvailles de l'enfant Jésus au Temple lors du pèlerinage à Jérusalem, quand Jésus a eu douze ans :

> Sa mère gardait tous ces événements dans son cœur. (Lc **2**,51)

Si l'on garde ces paroles imprimées dans la mémoire du cœur, c'est pour les méditer afin qu'elles deviennent la source de notre agir quotidien.

C'est ainsi que Dieu demeure en nous et nous en Lui : dans une communion de pensée et d'agir. Marie a initié Jésus à cette méditation, se faisant le relais du Souffle inspirateur divin. *Sur la terre comme au ciel... Au ciel comme sur la terre !* Voilà donc, dans l'expérience familiale, une réalité quotidienne qui permettait aux Juifs d'approcher une certaine expérience de Dieu : Dieu comme père dont on devient le fils en apprenant par cœur sa *Tora*, sa sagesse ; Dieu comme la mère-paraclet qui accompagne cet engendrement en expliquant la volonté de Dieu, afin qu'elle inspire notre vie quotidienne pour en faire une vie de communion avec le Père.

Mais la vie religieuse ne s'arrête pas à la vie familiale. Elle se développe aussi dans la communauté plus large qui est celle du village. Cette communauté a sa maison de prière où elle se réunit et qu'on appelle la synagogue. C'est l'école de la synagogue qui venait compléter le travail d'apprentissage fait à la maison. Le maître qui va enseigner la *Tora*, la grande Règle de vie donnée par Dieu à Moïse, ce maître est considéré comme un père, comme le dit si bien un texte juif : « Qui fait apprendre les leçons de la *Tora* au fils de son prochain, cela lui est compté comme s'il l'avait engendré. »

On apprend le texte en hébreu, en se balançant et en chantonnant, afin de l'enregistrer par cœur, dans la mémoire profonde. Mais aussitôt après avoir appris le texte hébraïque, on apprend son interprétation en araméen, au double sens du mot « interpréter » : à la fois traduire en une autre langue mais aussi donner le sens de ce qui est dit. Lors de la réunion de la synagogue, c'est le paraclet qui est l'interprète. Lui-même d'ailleurs tient son interprétation d'un autre paraclet afin que, de tradition en tradition, la Parole divine se communique à chaque génération. Et qu'elle s'actualise pour être vécue en lien avec la vie quotidienne.

À cette époque où l'on ne peut faire référence à un livre, c'est à un enseigneur qui nous a précédés que l'on se réfère. C'est pourquoi les rabbis, les maîtres de la *Tora*, font toujours précéder leur enseignement de la formule : « Comme l'a dit Rabbi Untel. » Mais Jésus ne parlera pas au nom d'un autre rabbi : il ne fera référence qu'à son Père :

> Ma leçon évangélique n'est pas de moi, mais de mon Père qui m'envoie. (Jn **14**,24)

Il enseigne au nom de son Père qui est Dieu et Il se présentera toujours comme le porte-parole du Père :

> Je dis ce que j'ai vu auprès du Père. (Jn **8**,38)

> Qui me voit voit le Père. (Jn **14**,9)

> Je n'ai pas parlé de moi-même mais le Père qui m'a envoyé m'a prescrit ce que j'ai à dire et à déclarer. (Jn **12**,49)

> Tout m'a été remis par mon Père... Venez à mon école. (Mt **11**,27-29)

### J'ai encore beaucoup de choses à vous dire mais vous ne pouvez pas les porter maintenant.

Aussi, lorsque vient l'heure de son départ, Jésus promet à ses disciples un autre maître, un autre enseigneur : ce sera l'Inspirateur divin, l'Esprit de vérité, qui sera le Paraclet, l'interprète de la volonté du Père. Le travail fait par Jésus auprès des siens, c'est le Paraclet qui l'achèvera. Le Père et lui enverront l'Esprit pour qu'Il parle en leur nom. L'Esprit, l'inspirateur, est donc lui aussi un envoyé. Il vient redire l'Évangile, expliquer le message, faire vivre les disciples de Jésus en fils, en filles du Père. Lors de leur compagnonnage avec Jésus, les disciples ne pouvaient pas encore tout

comprendre de ce que leur maître avait à communiquer de la pensée du Père qui est Dieu.

Il y a des choses qu'on ne peut comprendre que
par l'expérience. On ne peut les porter que lorsque
ces événements arrivent. Le verbe « porter » employé
ici est le même que celui qui est utilisé pour dire :
« porter sa croix ». On sait que les disciples n'ont vraiment compris le sens de la croix de Jésus que lorsqu'eux-mêmes ont été appelés à témoigner de la
résurrection, un témoignage qui ira jusqu'au témoignage de la croix : le martyre. Alors ils recevront l'Esprit, comme le déclare Pierre au jour de Pentecôte :

> Ce Jésus, Dieu l'a ressuscité, nous en sommes témoins.
> Exalté à la droite du Père, il a reçu l'Esprit et il l'a
> répandu. (Ac 2,33)

Depuis la résurrection de Jésus, c'est l'Esprit qui
guide la communauté de ses disciples, qui les mène
vers une compréhension toujours plus grande de Dieu
et de la vie du monde à venir : la vie éternelle à laquelle
nous sommes promis mais que nous devons expérimenter déjà lors de notre vie terrestre. Il nous fait
entrer dans la communion du Père. Il nous baptise,
c'est-à-dire nous plonge dans la vie divine.

Voilà donc des balbutiements sur le Dieu trinitaire
à partir de ce que Jésus a vécu et de ce qu'il nous a
transmis. On fait souvent le reproche au christianisme
de croire à trois Dieux, alors qu'aujourd'hui la majorité des humains qui croient en Dieu admettent que
Dieu est unique, qu'il n'y a qu'un créateur. Nous ne
croyons pas en trois Dieux, mais nous distinguons
dans le Dieu unique trois relations personnelles : Dieu
le Père, Jésus le fils unique, l'Esprit d'amour. Chrétiens, nous pouvons dire que, si Dieu est amour, il
n'est pas solitaire. Il n'est pas l'éternel célibataire des
mondes, comme disait Voltaire. C'est parce que Dieu
est *amour* qu'il est Trinité de personnes. Les chrétiens

ne croient pas en un Dieu trinitaire d'abord à partir d'un raisonnement philosophique mais à partir de cette expérience spirituelle transmise par Jésus d'une communion d'amour entre Lui et son Père :

Le Père et moi, nous sommes un. (Jn 10,30)

Je suis dans le Père et le Père est en moi. (Jn 10,38)

Cet Esprit du Père est autant Esprit du Père qu'Esprit du Fils, envoyé par le Père et envoyé par le Fils :

Le Paraclet que le Père enverra en mon nom. (Jn 14,26)

Je vous enverrai le Paraclet de la part du Père. (Jn 15,26)

Quelle expérience humaine et spirituelle pouvons-nous faire aujourd'hui du Paraclet? Du temps de Jésus, nous l'avons vu, le Paraclet était une personne reconnue dans la communauté juive et qui intervenait tout particulièrement à la synagogue. De plus, le Paraclet pouvait aussi prendre les traits de la mère dans la maison familiale. Aujourd'hui, ce rôle d'inspirateur, d'interprète de l'Évangile n'est-il pas aussi celui de la mère? La mère *au sein de la famille* : inspiratrice des siens dans la mesure où elle porte les projets, les besoins, les difficultés de chacun, comme elle a porté la vie de ses enfants en son sein. La mère *au sein de la société* : comme inspiratrice de justice et de paix parce qu'elle est porteuse de communion, d'unité.

Donnons quelques exemples :

Au Brésil, au temps de la dictature, dans un grand stade de São Paulo, ce sont des mères qui s'interposeront entre les militaires et les militants qui bravaient l'interdiction de manifester : elles sont venues offrir des roses aux forces de l'ordre et les portes du stade se sont ouvertes.

En Argentine, sur la Place de Mai, ce sont des mères qui ont porté avec une patience ardente la mémoire des disparus.

Chez nous, très souvent, ce sont aussi des femmes qui disent l'intolérable de la pauvreté alors que l'action sociale est jugée rétrograde devant le discours économique du néolibéralisme. Souvenons-nous de la marche Du pain et des roses et de la marche mondiale des femmes.

Évoquons aussi la place de la mère dans la *communauté-Église* : nous avons des équipes pastorales où des femmes ont leur place comme coresponsables de la communauté à côté du prêtre-modérateur. Ne pouvons-nous y voir la complémentarité du prêtre, signe du Père Unique, et de la femme, signe du Paraclet, inspiratrice de la communion et interprète de l'Évangile dans le quotidien de la vie ?

Voir le Paraclet sous les traits de la femme-mère, est-ce trop dire, est-ce mal dire ? N'oublions pas que, dans la Bible, l'Esprit se dit *Rouah*, un mot qui est féminin ! Puisse le Paraclet nous guider vers une vérité plus grande pour reconnaître le juste rôle de la femme, tant dans la société que dans l'Église. En cette fête de la Trinité, puissions-nous mieux comprendre comment Dieu est tout à la fois : et Père-engendreur et Fils-engendré et Paraclet-inspiratrice. C'est ensemble que les Trois nous engendrent pour faire de nous des fils et filles divins dans une unique famille. Une famille-Église qui doit témoigner que Dieu a créé l'humanité pour qu'elle partage ce bonheur d'aimer et de ne faire qu'un — en la Trine Unité Divine — dans la communion de l'amour. Au soir de notre vie terrestre, invités à la table de l'Éternité, nous serons éblouis par cette communion : alors nous reconnaîtrons la sainte communauté d'amour entre Dieu-Trinité et nous : une communion d'amour qui est notre destin éternel.

\*

\*    \*

*Esprit Paraclet du Père et du Fils Bien-aimé,*
*sois l'interprète rempli d'amour de leur parole.*
*Souffle en moi la Parole et l'action divines.*
*Inspirateur, sois mon guide*
*sur les chemins quotidiens de la vie.*
*Affranchis-moi des désirs égoïstes*
*et conduis-moi au chemin de la joie.*
*Donne-moi la force*
*de trouver dans ton souffle l'énergie nécessaire*
*pour devenir porteur de la croix*
*qui me mènera, comme Jésus, à la résurrection. Amen !*

## QUESTIONS DE COMPRÉHENSION ET D'APPROPRIATION

1. Dans le récit évangélique de Jean, où se situe ce passage ?
2. Quelle image traduit le mot « esprit » dans les langues juive, grecque, latine et française ?
3. À l'époque de Jésus, quels étaient les rôles du père et de la mère dans la transmission et l'interprétation de la *Tora* ?
4. Pourquoi les apôtres ne comprennent-ils pas encore totalement le message de Jésus, même après trois ans de vie commune ?
5. De quel Père Jésus tient-il son enseignement ?
6. Aujourd'hui, quels sont les paraclets qui ont mission d'interpréter l'Évangile ?
7. Pourquoi les Églises chrétiennes donnent-elles le nom de « Père » aux prêtres ?
8. Comment se laisser inspirer par l'Esprit Saint ?
9. Quels sont les signes agissant de l'Esprit Paraclet dans nos vies ?

## Fête du Saint-Sacrement
## Luc **9**,10-17

### ÉVANGILE DE JÉSUS
selon l'écrit de Luc

Les apôtres reviennent [de mission] et ils racontent à Jésus tout ce qu'ils ont fait. Les prenant avec lui, Jésus se retire à l'écart, près de la ville appelée Bethsaïde. Mais les foules l'apprennent et elles le suivent. Il les accueille et leur parle du Règne de Dieu. Et ceux qui ont besoin de guérison, il les rétablit.

Comme le jour commence à décliner, les Douze s'approchent et lui disent : « Renvoie la foule ; pour qu'ils aillent dans les villages et les fermes d'alentour et qu'ils se logent et trouvent des vivres : car ici nous sommes dans un endroit désert. Mais il leur dit : « Donnez-leur vous-mêmes à manger ! » Ils disent : « Il n'y a, pour nous, pas plus que cinq pains et deux poissons. À moins d'aller nous-mêmes acheter de la nourriture pour tout ce monde ? »

Il y a bien cinq mille hommes environ. Il dit à ses disciples : « Faites-les s'installer par groupes de cinquante. » Ils s'exécutent et les font s'installer, tous.

Il prend les cinq pains et les deux poissons ; il lève les yeux vers le ciel, il prononce sur eux la bénédiction et il les rompt ; et il donne aux disciples pour les servir à la foule. Ils mangent, et tous sont rassasiés ! On rassemble ce qui leur restait des morceaux partagés : douze paniers !

Fait assez rare, l'épisode du grand repas des foules est rapporté par les quatre récits évangéliques. Il se trouve même deux fois chez Marc et deux fois chez Matthieu. C'est dire l'importance qu'il revêtait pour les premiers chrétiens. Nous verrons que cet événement prend place en effet à un tournant crucial de la vie de Jésus, à un moment tragique de son ministère.

Voilà un récit qui a torturé bien des esprits forts! Croire aux miracles de guérison n'est pas facile pour ceux qui n'admettent pas le *sur-naturel*, l'irrationnel. On acceptera, à la limite, les miracles de guérison des corps car on sait aujourd'hui toute l'influence du moral, du spirituel dans le processus de guérison physique. La médecine, qu'on appelle holistique, cherche à traiter la personne comme un tout (*holos*, en grec). On veut bien croire que Jésus avait une grande puissance de conviction, mais des miracles comme ces cinq pains nourrissant 5 000 hommes ne relèvent pas de la guérison spirituelle. Aussi bien des gens comprendront ce récit du grand repas dans un sens purement figuré. Sans vouloir approfondir cette question, donnons la réflexion de saint Augustin sur ce thème, une réflexion que l'on trouve dans son *Commentaire de l'Évangile de Jean* :

> L'ordre du Cosmos est un miracle plus grand que d'avoir rassasié 5 000 hommes avec cinq pains. Personne ne s'étonne du premier, alors que le second nous plonge dans la stupéfaction : pourquoi? Non pas parce qu'il est plus grand mais parce qu'il est plus rare. Qui pourvoit à la subsistance du monde entier, aujourd'hui comme hier? Sinon Celui qui fait mûrir des moissons entières à partir de quelques grains de blé. Jésus a donc agi comme Dieu le fait.

Au-delà de cette question du geste miraculeux, il faut nous rappeler que tout événement de l'Évangile est une leçon de choses, un enseignement. Il nous faut donc chercher le sens de cet événement et ce qu'il peut bien signifier pour nous aujourd'hui.

### Les apôtres reviennent [de mission] et ils racontent à Jésus tout ce qu'ils ont fait.

Jusque-là, Jésus a connu de réels succès auprès des gens ordinaires des villages de Galilée. La tâche est grande et le temps est compté. Aussi, à ce moment de sa mission, Jésus va transformer quelques-uns de ses disciples en « envoyés » :

> Il convoque les Douze. Il leur donne puissance et auto-rité sur tous les démons et pour guérir des maladies. Il les envoie proclamer le Règne de Dieu. (Lc **9**,1)

Luc nous dit que Jésus donne aux Douze le titre d'apôtres. Le mot grec *apostoloï* signifie envoyés, et le mot latin correspondant est *missi* qui a donné missionnaires en français. L'exégète juif André Chouraqui nous donne cette note intéressante dans sa traduction des Évangiles :

> On trouvait [des envoyés] dans tous les mouvements religieux et politiques en Israël. Ils étaient chargés de dif-fuser le message propre au groupement qu'ils représen-taient et bien souvent de recueillir les dons qui les fai-saient vivre. » (A. Chouraqui, *Loucas*, JC Lattès, p. 123)

Jésus a donc envoyé ses missionnaires dans les vil-lages pour prêcher. Et eux aussi vont connaître un cer-tain succès :

> À leur retour, les apôtres racontèrent à Jésus tout ce qu'ils avaient fait. (Lc **9**,10)

Mais voyons quelle est la situation du peuple à ce moment-là. Les foules sont désemparées par la situa-tion politique du pays qui est occupé par les Romains depuis près de 100 ans. Comment comprendre en effet que ce peuple — que Dieu a choisi — semble aban-donné par Dieu puisque des païens occupent le pays et le privent de sa liberté ? Dieu a-t-il décidé d'aban-donner son peuple à cause de son péché, et notam-ment en raison des injustices perpétrées par les riches sur le dos des pauvres ? Les foules sont désespérées par la misère qui est accablante : les impôts prélevés par les Romains sont lourds ; les soldats d'occupation pillent et violent ; les vexations sont incessantes. Les foules semblent prêtes à se rebeller contre les occupants. Elles espèrent un roi-messie avec lequel elles feront la guerre sainte contre les Romains.

**Les prenant avec lui, Jésus se retire à l'écart, près de la ville appelée Bethsaïde. Mais les foules l'apprennent et elles le suivent.**

Jésus est-il ce messie ? Tout le monde se le demande et partout, dans les villages et les villes, on s'interroge sur Jésus. Est-il le prophète Élie, revenu sur terre, que certains groupes religieux attendaient ? Est-il Jean, le baptiste, qu'Hérode a fait décapiter il y a quelque temps et qui serait ressuscité ? Voilà le fond de scène sur lequel va se dérouler cet épisode du grand repas.

Les disciples sont donc allés dans les villages porter le message et guérir. Les voici qui reviennent et font leur rapport à Jésus, sans doute remplis d'enthousiasme. Jésus voudrait bien prendre à part ses envoyés mais les foules sont à sa poursuite et Jésus est ému de miséricorde, précise l'évangéliste Marc, « parce que ces gens sont comme des brebis qui n'ont pas de berger » (Mc **6**,34). Et c'est pourquoi il les rassemble et se met à les enseigner. Il leur parle du Règne de Dieu... longuement. Si longuement que voici que la nuit tombe.

**Il les accueille et leur parle du Règne de Dieu.**

Depuis le matin, Jésus parle du Règne de Dieu, c'est-à-dire du monde tel que Dieu le voit, tel que Dieu le veut. Il parle à une foule qui a faim et soif d'espérance. À ces gens qui sont opprimés, Jésus vient parler de liberté : « L'Esprit de Dieu est sur moi pour proclamer liberté aux captifs, renvoyer les opprimés vers la libération. » (Lc **4**,18) Le peuple est divisé entre une minorité qui est trop riche — et qui collabore probablement avec les troupes d'occupation — et une majorité trop pauvre parce qu'elle ploie sous les impôts imposés par l'occupant. À ces foules, Jésus parle de justice :

> Vous serez heureux, vous les appauvris... Malheur à vous les enrichis! (Lc **6,**20.24)

À ces foules de gens ordinaires, qui sont méprisés par les élites religieuses parce qu'elles sont illettrées et qu'elles méconnaissent la Règle de Dieu, la *Tora*, à ces gens plus ou moins exclus de la synagogue, Jésus parle d'un Dieu qui les aime :

> Je te bénis, Père, car tu as caché ton mystère aux savants et tu te révèles, tu te fais connaître aux humbles et aux petits. (Mt **11,**25)

À ces gens écrasés sous les multiples règlements de la Tradition (les 613 articles de la *Tora*), à ces gens pour qui Dieu peut apparaître comme un Maître imposant obligations et interdictions, Jésus se présente comme le guide des opprimés :

> Venez à moi, vous qui ployez sous le joug et le fardeau, mettez-vous à mon école et moi je vous donnerai le repos. (Mt **11,**28)

Liberté, dignité, fraternité, amour d'un Dieu qui est miséricorde, voilà l'enseignement de Jésus. Les foules de ce jour-là mangent et boivent ces paroles qui leur apportent l'espoir. Jésus leur apparaît ce messie que tous attendent et qui apporte l'espérance. Cet enseignement se prolonge par un repas communautaire.

### Donnez-leur vous-mêmes à manger!

Quel est le sens de ce repas? Les gestes de Jésus ont toujours une dimension spirituelle qu'il nous faut bien comprendre. Ce repas doit être lié à ce qui vient de se dérouler, aux longues heures que Jésus vient de passer à enseigner la Parole qui vient de Dieu. Dans la Bible, le pain représente la Parole de Dieu :

> L'être humain ne se nourrit pas seulement de pain, mais de toute Parole qui sort de la bouche de Dieu. (Mt **4,**4)

Le pain est le symbole d'une *Parole qui fait vivre* parce qu'elle est *nourrissante pour l'esprit*.

Notre monde actuel a perdu beaucoup le sens du repas. Le repas est devenu le plus souvent simplement un temps pour nourrir son corps. On mange souvent seul devant une télévision. On mange chacun son plat, avec son cabaret, dans une cafétéria où chacun se sert soi-même. Or, le repas partagé est un geste qui a une dimension humaine et communautaire d'une grande puissance symbolique. Le repas rassemble et nourrit d'un même pain, d'une même nourriture, pour unir ou ré-unir. De ceux qui mangent à la même table (les commensaux), le repas va faire des compagnons, au sens propre de ce mot qui signifie « ceux qui partagent le pain » (*cum* = avec et *panis* = pain). Dans certains peuples orientaux, encore aujourd'hui, on ne mange pas avec des gens qu'on ne connaît pas. Ce serait comme une sorte de sacrilège que de manger le pain avec un étranger.

Il y a donc un lien nécessaire entre manger ensemble et communier, partager la parole. Partager le pain avec quelqu'un, c'est signifier, rendre signifiantes notre solidarité, notre communion, notre fraternité. Dans un beau livre intitulé *Nous avons partagé le pain et le sel*, Serge de Beaurecueil raconte :

> À Kaboul, un jeune afghan musulman qui était mon élève vient un jour me proposer : « Je voudrais que tu viennes chez moi. Nous partagerions le pain et le sel. Puis, je viendrais aussi chez toi. Nous partagerions le pain et le sel... et nous serions amis pour toujours. » (Cerf, 1985)

Le repas est comme le signe sacré de la communion de ceux qui rompent le pain ensemble : une communion qui s'établit non d'abord sur des sentiments psychologiques mais sur une union qui se fonde sur une connaissance mutuelle profonde, une volonté de s'aimer l'un l'autre de bonté. Comme le disait Roland Leclerc, « nous ne mangeons pas ensemble parce que nous sommes frères ; nous devenons frères parce que nous mangeons ensemble. »

Remarquons-le bien : dans ce grand repas, c'est Jésus qui donne le pain, car c'est lui, c'est sa Parole qui vient de nourrir les participants. Auparavant, il a multiplié pour eux la parole d'espérance qui vient de Dieu. Le partage du pain va signifier concrètement cette communion dans la parole, dans la pensée. Et cette communion est communion en Dieu. Tous sont nourris d'une même pensée qui est celle de Dieu-Père ; ils sont habités par un même esprit qui est celui du Père, et qui est communiqué par ce fils parfait du Père qu'est Jésus. Cette pensée, cet esprit, les engendrent tous en fils et filles de Dieu et tous deviennent donc frères et sœurs parce que fils et filles de Dieu. Le repas est la célébration de cette communion. Voilà ce que ce geste des pains signifie et ce qu'il veut produire dans les cœurs.

### Faites-les s'installer par groupes de cinquante !

Une telle table évoque le banquet du messie. En effet, ce qu'on attendait du messie, c'était qu'il rassemble, qu'il réunifie le peuple de Dieu. Quelle meilleure image y a-t-il, pour signifier ce rassemblement, que celle du banquet de fête ? Pourquoi ce regroupement par cinquantaine ? La disposition de la foule par groupe de 50 veut aussi faire allusion à ce banquet messianique : en effet, cette disposition décrit la façon dont Moïse avait autrefois rassemblé et organisé les tribus dans le désert lors de la sortie d'Égypte :

> Dans tout Israël, Moïse choisit des hommes de valeur et les plaça à la tête du peuple : chefs de milliers, chefs de centaines, chefs de cinquantaines et chefs de dizaines. (Ex 18,25)

Cela avait suivi la célébration de l'alliance entre Dieu et son peuple.

Ce grand festin va donc susciter une grande espérance dans les foules : l'espérance d'un renouvellement de l'alliance. Dieu va s'engager à libérer à nouveau son peuple, comme il l'a fait du temps de Moïse. L'Évangile de Jean dira que les foules veulent enlever Jésus pour le faire roi-messie (*cf.* Jn **6**,15). Elles veulent en effet que Jésus prenne la tête du soulèvement populaire et de la guerre sainte contre les Romains. Mais lui va couper court à un enthousiasme qui ne va pas dans le sens qu'il donne à sa mission. Il ne sera pas le messie politique. Il ne fera pas la guerre sainte. Ces moyens de puissance pour changer le monde ne sont pas les siens.

Pour Jésus, c'est à l'intérieur de chacun que se prépare et se joue le vrai changement. Les vrais moyens de rendre liberté, dignité, fraternité sont des moyens de Dieu, des moyens d'amour. C'est en Dieu qu'il faut puiser la force de la fraternité, une fraternité qui s'exprime dans une solidarité qui n'exclut personne et qui passe toujours nécessairement par le pardon. Moïse avait apporté la *Tora* de Dieu, l'enseignement qui disait comment vivre en fils de Dieu. Mais la *Tora* toute seule ne suffit pas. Elle dit comment vivre, mais elle ne donne pas la force pour vivre. Pour vivre la *Tora*, il faut avoir l'esprit de Dieu : son souffle spirituel. Les prophètes d'Israël appelaient depuis longtemps la venue de l'esprit. C'est ce qu'on trouve dans Ézéchiel :

> Je vous donnerai un cœur neuf et je mettrai en vous un esprit neuf ; j'enlèverai de votre corps le cœur de pierre et je vous donnerai un cœur de chair. Je mettrai en vous mon propre Esprit, et je vous ferai marcher selon mes préceptes, garder et pratiquer mes coutumes. (Éz **36**,26-27)

La mission de Jésus est à ce niveau : rassasier l'humain de sa faim profonde, fondamentale qui est la faim de Dieu. En venant habiter chaque être humain, Jésus est celui qui apporte l'amour, l'amour vrai (*cf.* Jn **1**,17). Avec lui, on peut aimer à la manière de Dieu. Manger le pain avec Jésus, cela engage à ne plus faire qu'un avec lui. Dans la Genèse, quand l'homme et la femme s'unissent, on dit qu'ils deviennent « une seule chair, un seul être » (*cf.* Gn **2**,24). Avec Jésus, manger son pain, c'est comme devenir une seule chair avec lui. En assimilant ses paroles, on s'unit à lui :

> Celui qui me mange, demeure en moi et moi en lui. Celui qui me mangera vivra par moi. (Jn **6**,56-57)

Mais ce langage de Jésus sera trop dur : les foules vont l'abandonner. Un bon nombre de ses disciples cesseront de le suivre. C'est alors que Jésus pose aux Douze la question de confiance : *Et vous, allez-vous aussi partir ?* Et il obtiendra cette réponse de Pierre :

> À qui irions-nous ? Tu as les paroles de la vie éternelle. Et nous, nous croyons que tu es le saint de Dieu, [le messie]. (Jn **6**,67-69)

Dès lors, les Douze, le petit noyau des disciples les plus engagés, vont être associés par Jésus au partage de cette parole de vie éternelle. C'est le sens du fait qu'il les associe au partage du pain : « Donnez-leur vous-mêmes à manger ! ... et il donne aux disciples pour les servir à la foule » (vv. 13.16). Les apôtres reviennent de leur première mission où ils ont enseigné l'Évangile de leur Maître. Ils servent le pain aux foules comme ils ont servi le pain de la Parole. Après Pâques, ils seront envoyés dans tous les peuples pour faire connaître le message d'espérance de Jésus et en témoigner par toute leur vie.

### Ils mangent et tous sont rassasiés !

Pour nous, aujourd'hui, que signifie ce grand geste du repas messianique ? Les foules d'aujourd'hui ont bien sûr besoin de pain. Il y a encore à travers le

monde des millions d'affamés. Malgré un enrichisse-
ment collectif, la pauvreté n'a cessé de progresser au
Canada dans les dix dernières années. Une pauvreté
qui sera toujours intolérable : indigne de l'être
humain, indigne de filles et de fils de Dieu. La tâche de
chaque chrétien est de travailler, à sa place et selon ses
possibilités, à ce que ce monde devienne moins
injuste, à ce qu'il y ait moins d'inégalités.

Ce monde a aussi besoin d'un pain d'espérance.
Du pain *mais aussi des roses*, comme le disait si bien
cette marche des femmes du Québec en 1995. Cette
marche des femmes, comme beaucoup l'ont souligné,
vaudra sans doute plus par la solidarité qu'elle a sus-
citée ou ranimée que par les gains économiques,
même importants, qu'elle a faits. Solidarité... mais qui
ne doit pas être seulement entre femmes. Car une solidarité, qui est celle d'un clan contre un autre, ne peut
pas durer. Elle sera toujours fragile et elle sera prête à
se détruire elle-même lorsqu'on aura moins d'intérêts communs à sauvegarder. La solidarité doit se faire
avec tous, sans exception, et notamment avec ceux
qui sont les plus démunis. Ces femmes du Québec
marchaient pour tous ceux qui souffrent et manquent
d'espérance : pour les familles appauvries, pour les
immigrants, surtout pour les enfants, pour les jeunes
sans travail...

Cette solidarité est souvent plus forte chez les
pauvres qui n'ont plus rien à perdre que chez les enrichis qui protègent leur avoir. Je garde en mémoire ce
fait survenu dans un village du nordeste brésilien : une
région très pauvre. La famine était devenue extrême
par une sécheresse qui durait. Deux enfants venaient
de mourir de faim. À la messe du dimanche, l'Évangile
proclame : « Ne vous inquiétez pas de ce que vous allez
manger. » (*cf.* Mt **6**,25) Au moment de l'homélie, le
prêtre est muet. C'est alors qu'un paysan lève la main
pour dire :

Heureusement que nous sommes chrétiens et que nous croyons à cet Évangile : car autrement nous ne serions pas ici mais en train de nous déchirer et de nous diviser pour accaparer le peu des vivres qui nous restent. Nous avons décidé de rester unis et de tout partager.

Apprendre à partager son pain, c'est aussi apprendre à partager des paroles qui font vivre, qui donnent sens à la vie. Ce qui fait le désespoir le plus noir, ce qui fait la souffrance intolérable, ce n'est pas seulement le manque de pain, mais le manque de sens à la vie. Maurice Zundel raconte cette conversation :

Une femme pauvre m'a dit ces mots que j'ai retenus : « La plus grande douleur des pauvres, c'est que personne n'a besoin de leur amitié. On vient chez nous, on s'asseoit sur le coin d'une chaise, on dépose de quoi poursuivre notre misère quelques jours et puis on s'en va tranquillement. ... Mais personne ne croit que nous les pauvres, nous avons quelque chose à donner. Nous sommes simplement un organisme qui bouffe, et voilà. Si on nous donne à manger, on est quitte. Personne n'imagine que, nous aussi, nous éprouvons le besoin de donner. Personne ne croit à notre dignité et cela est notre plus grande blessure. »

Cette femme considérait que la plus grande épreuve de sa vie, c'était ce mépris de sa dignité, ce mépris de ceux qui la secouraient et qui ne croyaient pas qu'elle était capable d'une amitié généreuse et gratuite. Elle réclamait donc ce pouvoir de donner, ce pouvoir de créer, elle aussi, une joie, un bonheur. » (*Revue Nouveau Dialogue # 120,* p. 27)

Faim et soif de pain, faim et soif de dignité... Mais ne faut-il pas aller plus loin encore ? Jérôme Lussier, jeune étudiant, écrit cette réflexion à propos de la solitude :

Toutes les relations humaines aboutissent tôt ou tard à une espèce de saturation au-delà de laquelle on reste immanquablement seul. Tôt, dans le cas des rencontres-

fast-food du bureau; tard, dans le cas des relations tra-
vaillées, disponibles, patientes. Que faire dans ces conditions? S'attaquer, entre autres, à la poignante impres-
sion de solitude et de désœuvrement qui se cache
derrière le quotidien effréné. Opposer la proximité aux
rencontres virtuelles, le long-terme au jetable, l'authen-
ticité aux mille masques urbains. Changer les mentalités
utilitaristes en objectifs plus humains, plus sensés. En
un mot, viser l'intérieur. Le sien et celui des autres. On
y fait des découvertes très intéressantes, et dont le « trip »
dure plus longtemps qu'une cybermode. (*Revue Nou-*
*veau Dialogue*, HS jeunesse 98)

Le cardinal Suhard, archevêque de Paris, s'expri-
mait ainsi dans une lettre pastorale :

> « L'humain ne se rassasie pas seulement de pain, ni de
> bien-être, ni de dévouement, ni de tendresse; de quelque
> nom qu'il le désigne : il est affamé de Dieu. »

Si Dieu est la Vie de toute vie, l'Amour de tout
amour, en l'effaçant de nos vies, de nos cœurs, de nos
pensées, est-ce que nous ne tuons pas l'espérance? et
la vie? Ennui, désespoir, alcoolisme, drogue, violence,
suicide... un lot de misères tellement grand chez nous!
Et si cela n'était que symptômes d'un mal plus profond : le mal de l'absence de Dieu : absence de Dieu
dans nos familles, dans nos milieux de travail... dans
toute notre vie publique. Chrétiens, ne sommes-nous
pas responsables de ce manque d'un pain d'espérance
qui fait vivre? Parce que nous ne sommes pas assez
solidaires, car là où se vit le partage, tous mangent... et
tous à leur faim! « On rassemble ce qui reste des pains
partagés... 12 paniers! »

*

\*     \*

*Père, comme au désert,*
*Tu continues à nourrir le peuple qui crie vers toi.*
*Ton Fils Bien-aimé a partagé*
*le Pain créateur de vie et inspirateur de paix.*
*Pain et poissons il nous donne aujourd'hui*
*pour allumer en nos cœurs le feu de l'Évangile,*
*porteur de dignité créatrice et de liberté amoureuse.*
*Guide-nous vers le monde*
*pour être, à notre tour,*
*des porteurs d'espérance*
*et des bâtisseurs de joie. Amen !*

## QUESTIONS DE COMPRÉHENSION ET D'APPROPRIATION

**1.** Dans le récit évangélique de Luc, à quel moment de la vie de Jésus se situe cet épisode ?

**2.** Que signifie le mot apôtre ?

**3.** Quels liens y a-t-il entre la Parole enseignée et le pain partagé ?

**4.** Les foules seront déçues après le grand repas. Comment s'explique cette déception des foules ?

**5.** Comment aujourd'hui l'Évangile peut-il être porteur d'espérance, pour les disciples de Jésus et pour le monde ? Cette espérance est-elle purement spirituelle ou comporte-t-elle aussi une dimension de justice sociale ?

**6.** La célébration actuelle de l'Eucharistie est-elle suffisamment signifiante sur le lien entre « manger le Pain » et « manger la Parole » ?

Pour découvrir Jésus, un parcours d'évangile en vidéo : *Iéschoua, dit Jésus...*

Douze épisodes de 30 minutes qui mènent du baptême de Iéschoua (nom araméen de Jésus) jusqu'à sa mort, à travers les grandes étapes de sa vie :

> la retraite au désert, la proclamation de l'An de grâce, le message des béatitudes, le choix des Douze, le grand repas des pains multipliés, la retraite de la transfiguration, le Repas du Testament, la Croix et les apparitions au matin de Pâques.

Cette approche de Iéschoua se fait par des dialogues entre Marie de Magdala, qui fut son disciple, Luc, rédacteur d'un des récits évangéliques, qui se fait l'écho de la pensée de Paul, et Théophile, un jeune païen qui enquête sur le message du Christ de Nazareth.

Des tableaux de peintres et des images du pays d'Israël illustrent les dialogues écrits par Georges Convert, prêtre, avec la collaboration de Xavier Gravend-Tirole, bachelier en sciences religieuses, et les conseils exégétiques de Michel Quesnel, bibliste.

Réalisation du visuel : Alain Béliveau et Laurent Hardy, de M.A. Productions.

Deux livres accompagnent ces vidéos : *Iéschoua dit Jésus* (textes des dialogues) et *Parcours d'Évangile* (guide pour l'animation) publiés chez Médiaspaul.

On peut aussi commander les vidéocassettes

au Canada
Monique Legault
tél. : (514) 931-7311 poste 272

en France
Michèle Elghamrawy
21 rue Voltaire, 92140 Clamart,
tél. : 01 46 31 05 37
courriel : michele.elghamrawy@wanadoo.fr

Pour poursuivre la réflexion :

Sous la direction de **GEORGES CONVERT**

**Le repas aujourd'hui... en mémoire de Lui**

FIDES • MÉDIASPAUL
FORMATION CHRÉTIENNE

## Table des matières

**AGMV** Marquis

MEMBRE DE SCABRINI MEDIA

Québec, Canada
2004